BASLER STUDIEN

ZUR DEUTSCHEN SPRACHE UND LITERATUR

HERAUSGEGEBEN VON HEINZ RUPP UND WALTER MUSCHG †

HEFT 35

HANSJÖRG SCHNEIDER

Jakob van Hoddis

Ein Beitrag zur Erforschung
des Expressionismus

1967

FRANCKE VERLAG BERN

Dissertation
zur Erlangung der Würde eines Doktors der Philosophie der Philosophisch-
Historischen Fakultät der Universität Basel vorgelegt

—

MEINEN ELTERN

—

INHALT

EINLEITUNG

Jakob van Hoddis gilt allgemein als wichtiger Vertreter des frühen Expressionismus. Er schrieb seine Gedichte in der Zeit von 1907 bis 1914. Sie bilden einen Teil des geistigen Kampfs, den die junge Generation gegen die Welt ihrer Väter ausfocht und aus dem um 1910 der sogenannte «Expressionismus» herauswuchs. Obschon dieses Schlagwort fragwürdig ist, bleibt es unentbehrlich. Wie im übrigen Europa entstand auch in Deutschland vor dem Ersten Weltkrieg eine neuartige, große Kunst, die sich selbst als grundlegenden Neubeginn verstand und einen eigenen Namen braucht. Mögen sich auch die großen Vollender des neuen künstlerischen Ansatzes in Wesentlichem deutlich unterscheiden: sie alle kämpften gegen die Sterilität und Verlogenheit des geistig verkommenen Bürgertums. Nach Walter Muschg war die expressionistische Kunst keine ästhetische Einheit, sondern «die geistige Erhebung gegen die Bourgeoisie, die sich anschickte, Selbstmord zu begehen. Am besten würde man sie die revolutionäre Kunst des zwanzigsten Jahrhunderts nennen [1].»

Van Hoddis' Werk ist nur ein kleiner Bestandteil dieser epochalen Bewegung. Aber seine einzigartige Intensität erhebt es zu einer ihrer großartigsten Leistungen. Den tiefsten Blick in die Literaturrevolution jener Zeit bietet nicht die Lektüre der Manifeste und Programme, sondern das Studium eines ihrer großen Dichter. Im genauen Erfassen seiner persönlichen Entwicklung wird die allgemeine Tendenz sichtbar. Kurt Mautz gibt in seinem Buch über Georg Heym [2] zunächst Einsicht in die Eigenart dieses Dichters. Darüber hinaus erhellt er aber gerade im subtilen Nachdenken über unscheinbare Einzelheiten wichtige Grundzüge der neuen Kunst. Meine Arbeit lehnt sich an sein Buch an. Allerdings waren Heym und van Hoddis wesentlich verschiedene Dichter. Die gleiche Grundsituation äußerte sich bei ihnen auf verschiedene Art. Meine Arbeit will am Einzelfall von Hoddis eben diese Grundsituation aufzeigen und ist als Beitrag zur Erforschung des Expressionismus gedacht.

Jakob van Hoddis, der eigentlich Hans Davidsohn hieß, wurde 1887 in Berlin geboren, stammte aus gutbürgerlicher, jüdischer Familie und besuchte die wilhelminischen Schulen Berlins. 1906 bestand er das Abiturientenexamen. Vom Architekturstudium, das er anschließend begann, wandte er sich 1907 der griechischen Sprache und der Philosophie zu. Im gleichen Jahr traf er Kurt Hiller. Dieser energische, intensive Denker wurde für ihn bestimmend. Mit Gleichgesinnten gründete er unter der Führung Hillers 1909 den «Neuen Club», der 1910 als «Neopathetisches Cabaret» an die Öffentlichkeit trat. In diesem Kabarett erreichte van Hoddis seine größte Wirkung. Aus der intensiven geistigen Auseinandersetzung mit jungen Denkern und

Künstlern entstanden seine besten Gedichte. Sein eigensinniger Geist und seine fanatische Wahrheitsliebe verunmöglichten es ihm aber, mit einer Gemeinschaft auf die Dauer auszukommen. Auf seine Veranlassung wurde 1912 der «Neue Club» gesprengt. Van Hoddis' Odyssee begann. Sie führte ihn äußerlich in verschiedene Städte Europas und vorübergehend in Irrenanstalten, innerlich in rasender Folge zu den verschiedensten geistigen Positionen, die er alle wieder verwarf. 1914 wurde seine Schizophrenie übermächtig, er wurde endgültig interniert. Er blieb in Pflege, bis ihn 1942 die Nazis zur Ermordung abtransportierten.

Über sein Leben fehlen genauere Angaben. Es liegen weder Tagebücher noch Briefe vor. Sein dichterisches Werk ist die einzige Quelle. In mustergültiger Art veröffentlichte es Paul Pörtner 1958 im Verlag der Arche[3]. Die Ausgabe umfaßt gegen siebzig Gedichte und fünf Prosastücke. Der Anhang enthält verschiedene Stimmen zu van Hoddis, eine Bibliographie und Lebensdaten. Meine Arbeit stützt sich auf diese Ausgabe. Der Nachlaß liegt in Tel Aviv. Er wurde betreut vom kürzlich verstorbenen Erwin Loewenson, einem Jugendfreund des Dichters. Sein bei Pörtner abgedruckter Aufsatz ist das Beste, was es in der Sekundärliteratur über van Hoddis gibt[4]. Im Gegensatz zu den meisten Literaturwissenschaftlern betrachtet ihn Loewenson als einzelnen, besonderen Dichter, der wohl in der revolutionären Bewegung mitmachte, aber mit dem Schlagwort «Expressionismus» keineswegs zu fassen ist. Loewenson schreibt über ihn: «So paradox verschiedenartig die Äußerungsformen seiner abgründigen Einheitlichkeit gewesen sind, in ihnen allen prallte die gleiche unbeirrbare ‚Selbstverständlichkeit'. Sie für einen Blick zusammenzufassen wird nicht leicht sein, man muß sich der ‚Atmosphäre' konkreter ‚Situationen' erinnern[5].» Diese «abgründige Einheitlichkeit» soll in meiner Arbeit zur Darstellung kommen.

Das Werk van Hoddis' bietet eine verwirrende Fülle von Ausdrucksformen. Es scheint unmöglich, daß sie vom gleichen Autor stammen. Aber alle haben eine Gemeinsamkeit: sie verwerfen die vordergründige Realität zugunsten von etwas hinter den Dingen Liegendem. Ob der Dichter in ein neuromantisches Traumreich flieht, ob er die moderne Realität zerstört oder in einer Religion Zuflucht sucht, ist erst sekundär wichtig. Von primärer Bedeutung ist seine Bewegung über die Dinge hinaus. Doch ist gerade die Unmöglichkeit, in irgendeiner Transzendenz Erfüllung zu finden, seine tragische Lebenserfahrung. Keine Position genügt seinem vorwärtsdrängenden Geist. Am Schluß steht eine grauenhaft verzerrte Realität. Sicher läßt sich sein Wahnsinn, der sich bereits 1911 abzeichnet, mit psychiatrischen Begriffen erfassen. Gedichte sind aber Kunstwerke und wollen nach künstlerischen Kriterien beurteilt werden. Das langsame Irrewerden van Hoddis' erscheint von diesem Standpunkt aus beinahe als Zwangsläufigkeit. «Die Schatten, die von den verruchten ‚großen Zeiten' in die noch friedlichen vorausgeworfen

6

werden, fangen sich im Mikrokristall einzelner Geister. Diese tragieren das
Kommende, jedoch meist unter Einsatz von Leib und Leben, womit sie für
den Vorgriff zu zahlen haben[6].»

Im Werk van Hoddis' ist die Entwicklung der modernen Lyrik vom Expressionismus über den Dadaismus zum Surrealismus vorweggenommen. Es beweist die innere Einheit dieser Bewegungen. Sie alle hatten ihre Wurzeln
in der Romantik und wollten die trübe, vordergründige Realität überwinden.
Walter Muschg weist in seinem Aufsatz «Von Trakl zu Brecht» nach, daß es
einen «romantischen Expressionismus» gab, der «die Agonie der Neuromantik»[7] war. Der Dadaist Hugo Ball fragte sich 1916, ob er und seine Freunde
«nicht doch nur Romantiker bleiben»[8]. André Breton, der Verfasser des
ersten surrealistischen Manifests, zitierte Novalis als einen Hauptzeugen[9].
Bei van Hoddis sind die Verbindungen zur Romantik augenfällig. Im Grund
blieb seine geistige Grundhaltung bis zum Abbrechen seiner künstlerischen
Produktion romantisch. Er scheiterte an der Unmöglichkeit, seine romantische Sehnsucht nach einer metaphysischen Welt aufzugeben. Mit Recht stellt
Georg Lukács fest, daß der Expressionismus kein wesentlich neues Verhältnis zur gesellschaftlichen Realität fand: «Das Neue des Expressionismus liegt
inhaltlich nur in einer quantitativen Steigerung der Verlorenheit und der Verzweiflung darüber. Und diese Steigerung ist wiederum ein notwendiges Er-
gebnis der Lage der Kleinbürger im imperialistischen Zeitalter[10].» Gewiß
versagte der Expressionismus in der politischen Realität; die beiden Welt-
kriege beweisen es. Aber die «Verlorenheit», von der Lukács spricht, ist nicht
nur eine Folge des «imperialistischen Zeitalters», sondern menschliches
Schicksal. Sie wurde von einigen expressionistischen Künstlern so großartig
gestaltet, wie es seither in der deutschen Literatur nicht mehr geschehen ist.

Erstes Kapitel

DIE AUSEINANDERSETZUNG MIT DER TRADITION

a) Übernahme und Verfremdung der überlieferten Mythologie

Die ersten Gedichte van Hoddis' sind mythologischer Art. Wie ist diese Mythologie beschaffen?

Im 19. Jahrhundert gingen in Europa unabsehbare Veränderungen auf politischem, wirtschaftlichem und sozialem Gebiet vor sich. Eine Welt entstand, die mit den Bildern der romantischen Dichtung nicht mehr wiedergegeben werden konnte. Den Widerspruch zwischen realgeschichtlicher und poetischer Wirklichkeit brachte in Deutschland am schärfsten Heine zum Ausdruck: «Die höchsten Blüten des deutschen Geistes sind die Philosophie und das Lied. Diese Blütezeit ist vorbei, es gehörte dazu die idyllische Ruhe; Deutschland ist jetzt fortgerissen in die Bewegung, der Gedanke ist nicht mehr uneigennützig, in seine abstrakte Welt stürzt die rohe Tatsache, der Dampfwagen der Eisenbahn gibt uns eine zittrige Gemütserschütterung, wobei kein Lied aufgehen kann, der Kohlendampf verscheucht die Sangesvögel, und der Gasbeleuchtungsgestank verdirbt die duftige Mondnacht[11].»

Heines Sehnsucht nach einer neuen poetischen Wirklichkeit, die «kein Kirchhof der Romantik» sein sollte, blieb unerfüllt. Aus ihr entstand eine Sprachnot, die erst viel später, im Expressionismus, als allgemeine Krise sichtbar wurde.

Das Versagen der überlieferten Bilderwelt läßt sich bei Heine auch anhand der Mythologie aufzeigen. In seinem Gedicht «Die Götter Griechenlands»[12] schildert er die Götter der Antike als tote Gestalten. Der Blitz Kronions ist erloschen, Junos' großes Auge erstarrt, ihre Lilienarme sind kraftlos. Aphrodite erscheint als Leichengöttin. Trotzdem will der Dichter es «mit der Partei der besiegten Götter» halten, aber nur, indem er sie parodiert. Ein Beispiel dafür ist das Gedicht «Untergang der Sonne»[13]. Ein Freund erzählt Heine «scherzend halb und halb wehmütig», die Sonne habe «aus Konvenienz» den alten Meergott geheiratet. Am Abend, nachdem sie ins Meer zu ihrem alten Gemahl zurückgekehrt sei, schelte dieser sie aus mit den Worten:

«Runde Metze des Weltalls!
Strahlenbuhlende!
Den ganzen Tag glühst du für andre,
Und nachts, für mich, bist du frostig und müde!»

Das Klagen der Sonne ob dieser Rede veranlasse den Meergott, verzweifelt aus dem Bett zu springen:

> «So sah ich ihn selbst verflossene Nacht
> Bis an die Brust dem Meer enttauchen.
> Er trug eine Jacke von gelbem Flanell,
> und eine lilienweiße Schlafmütz',
> Und ein abgewelktes Gesicht.»

Die mythologische Gestalt der Sonne und ein alter Meergott werden hier in ein bürgerliches, sich streitendes Ehepaar umgedeutet. Das überlieferte Bild ist ironisch aufgelöst. Trotzdem ist es beibehalten. Heine war nicht in der Lage, eine neue Bilderwelt zu schaffen.

Im Gegensazt zu ihm fand der junge Rimbaud ganz neue Ausdrucksmöglichkeiten. Sein Werk wurde durch die Ammersche Übersetzung allgemein zugänglich, sein Leben wurde zum modernen Mythus. Seine Wirkung auf Heym, Trakl, den jungen Brecht ist kaum zu überschätzen. Ich betrachte hier seine dichterische Entwicklung unter dem Aspekt der Mythologie.

Der zweite Teil seines 1869 entstandenen Gedichts «Sonne und Fleisch» [14] beginnt mit den Versen:

> «Ich glaube an dich, du Mutter der Mütter,
> Schaumgeborene! – Der Weg ist bitter,
> seit uns ein andrer Gott an sein Kreuz geschlagen.
> Fleisch, Marmor, Blüte, Venus, an dich glaub ich allein!»

Die mythologische Gestalt der Venus wird hier gegen Christus ausgespielt. Sie ist das Bild, mit dem Rimbaud seine Vorstellung vom wahren, echten Leben ausdrücken kann. Indem er sie in einem Atemzug mit Dingen wie Fleisch, Marmor und Blüte nennt, wird die längst entschwundene Gestalt wieder real. In diesem Gedicht erlangt sie ihre wunderbare Größe und Macht zurück.

Ganz anders behandelt Rimbaud die gleiche Gestalt im späteren Gedicht «Schaumgeborene Venus» [15]. In der klassischen Form des Sonetts verhäßlicht er hier eines der schönsten Bilder der antiken Mythologie. Die schaumgeborene Venus erhebt sich träge als fette Frauengestalt aus einer grünen Blechbadewanne. Die Auflösung des Mythus gipfelt im Reimpaar des Schlußterzetts:

> «Den Lenden sind graviert zwei Worte: Clara Venus.
> – Der ganze Körper reckt und streckt die breite Kruppe,
> Schön, schauderhaft durch ein Geschwür zum Anus.»

Dieses Gedicht ist in erster Linie eine Absage an die damals vorherrschende französische Dichterschule der «Parnassiens». Darüber hinaus bezeugt es aber etwas Grundsätzliches: der hergebrachte mythologische Apparat ist nur noch in seiner Verfremdung brauchbar. Die überlieferten Bilder halten der neuen Realität nicht mehr stand.

In einigen Prosastellen gelingt es Rimbaud allerdings, mythologische Gestalten in seine Welt einzufügen. Es gibt da «Nymphen des Horaz in der

Haartracht des ersten Kaiserreichs» [16] und «Bacchantinnen der Vorstädte» [17]. Im Gegensatz zu den Gestalten der Sonne und des Meergottes in Heines Gedicht sind hier die Nymphen und Bacchantinnen nicht lächerlich. Die Realität verändert nicht die Mythologie, sondern die Mythologie überhöht die Wirklichkeit. Es ist bezeichnend, daß der späte Rimbaud nur selten auf den antiken mythologischen Apparat zurückgreift. Er braucht ihn nicht mehr, da er eigene Mythen zur Verfügung hat.

Eine ähnliche Rolle wie im Werk Rimbauds spielt die antike Mythologie bei Jakob van Hoddis. Auch er übernimmt sie zuerst im positiven Sinne, verfremdet sie dann und läßt sie in seinen späten Gedichten beiseite.

Das erste Gedicht in Pörtners Ausgabe hat die Gestalten der Amphitrite und der Benthesikyme zum Gegenstand:

Traumkönig

I

Zum Wellenhaus der grünen Amphitrite
Und tote Tiefen der Korallenwälder
Kam er hinab – der fremden Sehnsucht Melder
Und weil sein Volk ihn König hieß und kniete.

Spät tauchte er empor im goldnen Kranze,
Den Tang der See auf Schultern, Brust und Lenden,
Der Schlachten Heil, die starke Drachenlanze
Und Perlenschnüre in den groben Händen.

II

Und gelben Rosen gleichen Deine Glieder,
Benthesikyme.
Meerblüten duftend wallt Dein Haar hernieder
Wie Wogenspiele.

Kaum was Du sprachst und Deine Küsse weckten
Korallenrote Gaben –
Deine Augen heilen den erschreckten
Zornigen Knaben.

Benthesikyme ist nach dem antiken Mythus das Kind des Poseidon und der Meeresgöttin Amphitrite, die bei Catull und Ovid für das Weltmeer steht. Die Gattin Poseidons erscheint schon bei Arno Holz, dem großen Wegbereiter des literarischen Expressionismus:

«Durchs Wasser wälzt sich Amphitrite,
Poseidons fette Favorite.» [18]

Die stolze Meeresgöttin ist zur dicken Buhlerin degradiert. Die verfremdende Auflösung des Mythus ist bereits vollzogen.

Im Gedicht «Traumkönig» ist das antike Bild noch intakt. Der Altphilologiestudent van Hoddis übernimmt es direkt aus der antiken Mythologie. Im ersten Teil taucht Poseidon zu Amphitrite hinunter und erscheint bekränzt wieder an der Wasseroberfläche. Der zweite Teil ist Benthesikyme gewidmet. Die traumhaft grünen Korallenwälder des Meeres bilden die Szenerie, gleich untergründig und heimlich wie die Landschaften der neuromantischen Dichter. In Hofmannsthals Drama «Das Bergwerk zu Falun» wird der auserwählte Knabe Elis auf geheimnisvolle Weise zu einer Unterweltskönigin gebracht. Die Welt, in der sie gleich Amphitrite herrscht, ist zwar nicht die Meerestiefe, hat aber die gleiche Bedeutung. Es ist die geheimnisvolle, wunderbare Welt der Phantasie, die der ganz anders gearteten Realität entgegengesetzt wird. Wie der Knabe Elis findet auch van Hoddis in dieser Traumwelt sein Heil. Er ist der «erschreckte, zornige Knabe», den die Augen der Benthesikyme heilen.

Der zweite Teil des Gedichts hat einen pubertären erotischen Charakter, ähnlich vielen Tagebuchnotizen Georg Heyms. Schon mancher zwanzigjährige Gymnasiast träumte sich eine Benthesikyme herbei. Darüber hinaus besagen die zwei Strophen aber: der Dichter ist erschreckt durch die Realität; er sucht Zuflucht in der antiken Mythologie, die er der Realität entgegenstellt und die ihn vorerst heilt. Sie ist nicht mehr überhöhte Wirklichkeit, sondern letzte Zuflucht in einer banalen, geheimnislosen Zeit.

Das Gedicht ist nicht nur stofflich zweigeteilt, die beiden Teile sind auch in künstlerischer Hinsicht von ungleichem Wert. Die ersten zwei Strophen bestehen aus je vier Blankversen. George bevorzugte dieses Versmaß. Auch der geheimnisvolle Prunk der Sprache, Wortgruppen wie «fremde Sehnsucht», «im goldnen Kranze», «der Schlachten Heil», «die Perlenschnüre», das vor dem König kniende Volk weisen auf diesen Dichter hin. Van Hoddis ist in diesem Gedicht von George beeinflußt. Die Beeinflussung wirkt sich positiv aus, die Strophen sind kraftvoll geformt. Die Sprache des zweiten Teils hat nicht mehr die Georgesche Kraft und Klarheit, sie ist fließend und weich. Je einem Blankvers steht ein zwei- oder dreihebiger Kurzvers gegenüber, der durch den Eigennamen Benthesikyme geprägt ist. Die ersten zwei Verse der zweiten Strophe lassen sich syntaktisch nicht auflösen, sie bilden eine Ellipse. Eine weitere sprachliche Kühnheit findet sich in der ersten Strophe des zweiten Teils. Neben der von George übernommenen Vergleichstechnik mit den Wörtern «gleichen» und «wie» steht der grammatisch gewagte Vergleich «Meerblüten duftend». Das intransitive Verb «duften» ist transitiv verwendet, das Vergleichsbild «Meerblüten» verabsolutiert. Später setzt van Hoddis die Vergleichsbilder meist absolut, so im Gedicht «Traum»: «Der Wagen fliegt den Vogelflug der Möwe.»

Die Verabsolutierung der Vergleichsbilder ist ein typisches Stilmerkmal der expressionistischen Dichtung. In Heyms 1911 entstandener Novelle «Der Irre» [19] findet sich ein schönes Beispiel dafür. Der heimkehrende Wahnsinnige sucht seine Frau, um sie zu töten. «Aber da war sie ja, da lief sie ja herum. Sie sah aus wie eine große graue Ratte. So also sah sie aus. Sie lief immer an der Küchenwand entlang, immer herum, und er riß eine eiserne Platte von dem Ofen und warf sie nach der Ratte[20].» Der anfängliche Vergleich wird zur Identifikation. Die Frau wird nicht mehr mit der Ratte verglichen, sie wird zur Ratte.

Die Gestaltung des antiken Mythus im Gedicht «Traumkönig» ist im ersten Teil sprachlich gelungen, aber übernommen. Im zweiten Teil ist die mythologische Gestalt der Benthesikyme sehr persönlich behandelt. Sie tritt in direkten Kontakt mit dem jungen Dichter. Deshalb ist auch die Sprache persönlich und kühn.

Ungefähr gleichzeitig wie der «Traumkönig» entstanden die beiden Gedichte «Weihe deinen Geist dem Feste» und «Weh denen die im fahlen Dämmerschein ...». In beiden erscheinen mythologische Gestalten. Am Schluß des ersten wird Aphrodite angerufen:

> «Oh Aphrodite, die mit nackten Gliedern
> «Aus fliederroten Fluten steigt.»[21]

Im Gegensatz zu Rimbauds Gedicht «Schaumgeborene Venus» ist hier das antike Bild intakt übernommen. Das Adjektiv «fliederrot», wohl hingesetzt wegen der Alliteration zu «Fluten», wirkt kitschig. Ein Bild, das durch Jahrhunderte schon unzählige Male gemalt wurde, bildet den Abschluß eines Gedichts, dessen Aussage und hoher Ton ebenfalls übernommen sind. Die erste Strophe ruft dazu auf, den Geist dem Feste zu weihen und das Leben in heiterem Betrachten der Natur zu verbringen. Diese Aufforderung stammt von George. Das Bild aus der antiken Mythologie und der feierliche Ton des Gedichts zeigen, wie sehr van Hoddis' erste Gedichte von der Tradition geprägt sind.

Im zweiten der oben genannten Gedichte wird die Lebensgöttin geschildert, die in leichtem Seidenkleide, mit roten Blumen in der weißen Hand lächelnd durch die Straßen «schleicht». Der Anfang und der Schluß erinnern deutlich an Nietzsches «Weh dem, der keine Heimat hat»[22]. Die Rolle des Winters in Nietzsches Gedicht übernimmt hier die Nacht. In beiden Gedichten ist der Dichter der Ausgestoßene. Nietzsche drückt seine Heimatlosigkeit in dem von ihm selbst gefundenen Bild der nach der Stadt fliegenden Krähen aus. Van Hoddis nimmt die pseudomythologische Gestalt der Lebensgöttin zuhilfe. Sie hat keinen Namen. Ihre Attribute, das leichte Seidenkleid und die roten Blumen, die sie in der weißen Hand trägt, stammen aus dem Bereich des Jugendstils und wirken reichlich verschwommen. Sie «schleicht lächelnd» durch die Straßen. Die beiden Wörter «schleichen» und «lächeln» passen nicht zusammen. Die Lebensgöttin wirkt, im Gegensatz zu Nietzsches Bild, fad und ist fehl am Platz.

Ein letzter Versuch van Hoddis', die antike Mythologie unverändert zu übernehmen, ist das Gedicht «Perseus»:

Perseus

Kaum flammt das Schwert an der Meduse Lager
Sie liegt und schläft in felsen-schwerer Nacht.
Wie Blumen fühl ich ihre kühlen Haare.
Es zuckt die Hand – und hat die Tat vollbracht.

Ich habe Andromedens Leib erfahren
Und ihrer Seele zitterndes Erleben.
Doch nie durchzuckte so mich starres Beben
Wie jene die der Gorgo Haupt gewahren.

Nie werde ich das hohe Haupt betrachten,
Das ich vom Rumpf getrennt mit schnödem Streiche –
Es ist der Tod der grüngeschuppten Drachen
Und Schwert und Szepter über alle Reiche.

Und darf ich nie Dich, bleiches Haupt erschauen
Das jeden Ruhm mir gab und jähe Schätze?
Bei jedem Mahle wo die Gier ich letze
Da fleht die Gier nach Deinem Todesgrauen.

Das Gedicht besteht aus vier Strophen, deren jede vier Blankverse zählt. Der Dichter greift auf den Perseusmythus zurück, der erzählt, wie jener Held der Meduse, der einzig Sterblichen der drei Gorgonen, das Haupt abschnitt. Mit dem Medusenhaupt, das jeden Beschauer versteinerte, befreite er die von einem Seeungeheuer gefangengehaltene Andromeda und rettete sich so vor seinen Verfolgern. Das fürchterliche Haupt, das ihm gewaltige Macht verlieh, durfte er nie betrachten, da es auch ihn versteinert hätte.

Das Gedicht ist in der ersten Person geschrieben, van Hoddis identifiziert sich mit Perseus. Er hat «Andromedens Leib erfahren und ihrer Seele zitterndes Erleben». Das genügt ihm aber nicht. Er sehnt sich nach einem Blick auf das Gorgonenhaupt, nach dem «Todesgrauen», dem unweigerlich der Tod folgen würde.

Der jugendlichen, schönen Andromeda sind nur zwei Verse gewidmet. Das «zitternde Erleben ihrer Seele» kennzeichnet ihr Wesen. Mit dieser Bezeichnung läßt sich auch die Dichtung der Neuromantiker charakterisieren. Im Gegensatz etwa zu «zucken» meint das Verb «zittern» eine gleichmäßige, feine, sehr differenzierte Bewegung. Ein solches Erleben befriedigt van Hoddis nicht.

Das Gorgonenhaupt, von dem das ganze übrige Gedicht handelt, verspricht ein ganz anderes Erleben, nämlich ein «starres Beben». Das Verb «beben» bedeutet eine tiefgründige, schwere Erschütterung. Mit dem Attribut «starr» erinnert es an die Todesstarre. Nach diesem tiefen Erleben sehnt sich van

Hoddis. Er wird es nie erfahren, da es nach der Sage mit dem Tod bezahlt werden müßte.

Die beiden verschiedenen Erlebnisarten, von denen «Perseus» handelt, haben zuerst einmal erotischen Charakter. Schon der antike Mythus führt aber über diesen Bereich hinaus. Auch in der Neuformung durch van Hoddis erhält er eine umfassende Bedeutung. Das erotische Erleben steht für das Erleben überhaupt. So gesehen ist das Gedicht für die künstlerische Entwicklung van Hoddis' sehr bedeutsam. Andromeda symbolisiert das zitternde Erleben der Seele, das in der neuromantischen Dichtung seinen Ausdruck fand, Gorgo ein ersehntes, aber noch nicht erfahrenes, schreckliches Erleben, dessen Ausdruck van Hoddis noch nicht gefunden hat. Die neuromantische Sensibilität wird als unbefriedigend erklärt, gleichzeitig aber die Möglichkeit eines neuen, gefährlichen Dichtens, vorgezeichnet etwa durch Rimbaud, verneint. Diese Aussage gestaltet der Dichter in einer übernommenen Form, in einem Mythus in Blankversen. Die darin offenbar werdende Resignation ist bei van Hoddis allerdings einmalig. «Perseus» steht an der Schwelle zu seinem künstlerischen Aufbruch in neue geistige Welten, denen er sich später rücksichtslos hingibt. Ein kurzer Blick auf das später entstandene Gedicht «Der Denker» bestätigt diese Ausführungen:

Der Denker

Zu den breiten ungestalten
Tiefen stieg er froh hernieder.
Ströme aber lähmten seine Glieder.
Ratlos kreisten eiserne Gewalten.

Und er rang und immer wieder.

Ihn hieß ein Traum in wilden Felsenspalten
Gold und verderbter Götter Blut erbeuten
Und ihrer Leiber brenne Sinnlichkeiten ...

Er bäumte auf, und alle Räume hallten.

Das Gedicht klingt in vielen Einzelheiten an «Perseus» an. Der Denker steigt zu «ungestalten Tiefen» nieder, um «in wilden Felsenspalten Gold und verderbter Götter Blut» zu erbeuten. Auch Gorgo wohnt in einer Felsenhöhle, in die Perseus hinuntersteigt, um dem schlafenden Ungeheuer das Haupt abzuschlagen. Beide Gedichte haben zum Teil erotischen Charakter, auch «Der Denker» sucht «Sinnlichkeiten»:

«Und ihrer Leiber brenne Sinnlichkeiten ...»

Dieser Vers ist syntaktisch gleich gebaut wie der zweite über Andromeda in «Perseus»:

«Und ihrer Seele zitterndes Erleben».

Der spätere Vers enthält das Gegenteil des früheren. An die Stelle der Seele treten die Leiber, «brenne Sinnlichkeiten» ersetzen das «zitternde Erleben». Dem feinen, differenzierten Erlebnis der Seele ist die sinnliche, brennende Gier des Leibes gegenübergestellt. Andromeda erscheint nicht mehr. Der Hinuntersteigende begibt sich ganz in das Reich der Gorgo. Zuerst ist er noch «froh» und zuversichtlich. Aber Gefahren drohen. Ströme lähmen seine Glieder, eiserne Gewalten kreisen. Er droht zu erstarren. Mit den Versen des Gedichts «Perseus» ausgedrückt: es durchzuckt ihn «starres Beben wie jene die der Gorgo Haupt gewahren». Er ringt mit den Gewalten. Am Schluß bäumt er sich auf, und alle Räume hallen. Es wird nicht klar, ob er unterliegt oder am Leben bleibt. Das Gedicht bleibt seltsam in der Schwebe.

Der Denker führt das aus, was das Gedicht «Perseus» als unmöglich darstellt: er wirft einen Blick auf das Gorgonenhaupt, auf etwas Schreckliches, das ihn zu lähmen droht. Dieser Vorgang ist nicht mehr mythologisch ausgedrückt, sondern in eigenen, kühnen, kaum durchschaubaren Bildern. Auch formal ist das Gedicht eigenständig. Vier- und fünfhebige Verse folgen sich, die ersten fünf in Trochäen, die folgenden vier in Jamben.

Hier hat van Hoddis die in «Perseus» offenbar werdende Resignation überwunden und gibt sich einem neuen, eigenen Erleben und Dichten hin. Der Preis dafür wird teuer sein, der Perseusmythus wird Recht behalten.

In der nicht mehr übernommenen, eigenständigen Dichtung van Hoddis' findet die antike Mythologie in ihrem herkömmlichen Sinn keinen Raum mehr. Das zeigt sich im 1911 entstandenen Gedicht «Aurora»:

Aurora

Nach Hause stiefeln wir verstört und alt,
Die grelle, gelbe Nacht hat abgeblüht.
Wir sehn, wie über den Laternen, kalt
und dunkelblau, der Himmel droht und glüht.

Nun winden sich die langen Straßen, schwer
und fleckig, bald, im breiten Glanz der Tage.
Die kräftige Aurore bringt ihn her,
Mit dicken, rotgefrornen Fingern, zage.

Das Gedicht beschreibt eine Morgendämmerung in der modernen Großstadt Berlin. Die Nacht, früher die stille, geheimnisvolle Tageszeit, ist jetzt grell und gelb, der Himmel, der über den Laternen zu sehen ist, «kalt und dunkelblau». Er verspricht keinen neuen, lichten Tag, den die rosenfingrige Aurora in leichten Schleiern am Himmel erstrahlen läßt, sondern «droht und glüht». Die langen Straßen, die sich wie riesige Ungetüme «schwer und fleckig» daherwinden, bilden anstelle des blühenden, duftenden Waldsaums die Landschaft. Es gibt keinen neuen Tag mehr, sondern den «breiten Glanz

16

der Tage». Das Wort «Glanz» stammt aus dem harten, kristallinen Bereich der Metalle. Im Gegensatz zu «leuchten» bezeichnet es etwas Totes.

In diese moderne Wirklichkeit tritt in den letzten zwei Versen Aurore. Aber wie ist sie verändert! Sie ist kräftig gebaut und hat dicke Finger wie eine Marktfrau. Sie «bringt» den Glanz der Tage «her». Ein banaleres, neutraleres Verb für diesen Vorgang gibt es nicht. Sie merkt, daß sie fehl am Platze ist, sie tritt «zage» auf.

Das klassische Epitheton der «rosenfingrigen» Aurora ist in «rotgefrorne Finger» verwandelt. Denn der anbrechende Morgen verspricht keine Wärme, der Himmel ist kalt und bedroht die Menschen, die sich nach Hause flüchten. Statt froh einen neuen Tag zu beginnen, gehen sie beim Morgengrauen schlafen.

In der modernen Großstadt, die eine künstlerische Entdeckung des Expressionismus war, muß sich die Göttin der Morgenröte verändern. Sie wird parodiert. Aber im Gegensatz zu Heine ist die Parodie hier nicht Selbstzweck. Durch sie wird nicht nur die antike Mythologie, sondern auch die moderne Realität kritisiert. Die derbe, träge, halb verfrorene Aurore zeigt, was sich verändert hat. Durch ihren Namen verbindet sie eine Morgendämmerung des Jahres 1911 mit allen Morgendämmerungen, die je mit ihrem Namen besungen worden sind. In der modernen Realität hat die zarte Göttin keinen Platz mehr. Der Dichter muß neue Ausdrucksmöglichkeiten suchen.

Ähnlich verändert wie hier Aurora tritt Neptun in Georg Heyms Gedicht «Die Tote im Wasser» auf [23]. Seine letzte Strophe lautet:

> «Sie treibt ins Meer. Ihr salutiert Neptun
> Von einem Wrack, da sie das Meer verschlingt,
> Darinnen sie zur grünen Tiefe sinkt,
> Im Arm der feisten Kraken auszuruhn».

Das Gedicht beschreibt, in Anlehnung an Rimbauds «Ophelia», den Weg einer Mädchenleiche von den Kanalisationsröhren bis in die Meerestiefe. Im Hafen, den das tote Mädchen durchschwimmt, «stiert das Wasser tot zu Speichern, die morsch und im Verfall». «Staub, Obst, Papier, in einer dicken Schicht, so treibt der Kot» aus den Abwasserröhren ins Hafenbecken. Am Schluß der gräßlichen Beschreibung sinkt die Leiche in die Arme «der feisten Kraken», der ungeheuerlichsten, ekelhaftesten Meeresbewohner. Bevor das Meer sie verschlingt, erscheint Neptun. Er salutiert ihr wie ein eitler, gutbürgerlicher Schiffskapitän, der stolz eine Parade abnimmt. Das Schiff, auf dem er steht, ist ein Wrack, das Paradeobjekt eine «zerhöhlte und fast zernagte» Leiche.

Auch hier tritt am Schluß einer neuartigen, gräßlichen Beschreibung der Realität eine mythologische Gestalt der Antike auf. Wie bei van Hoddis Aurora als derbe Marktfrau, so erscheint hier Neptun als stolzer Vertreter der Bürgertums, als Kapitän, dessen Schiff bald untergehen wird. Auch seine Figur ist nicht Selbstzweck. Sie zeigt, wie sich das in früherer Dichtung geheimnisvolle, wunderbare Meer in eine stinkende, von Wasserratten und feisten Kraken bewohnte Kloake verwandelt hat.

Die Parodie der klassischen Mythologie ist in der deutschen Literatur um 1900 eine häufige Erscheinung. Sie bildet einen Teil der großen Auseinandersetzung mit den überlieferten Werten, die vor allem die Jugend in jenen Jahren durchkämpfte. Aus diesem Kampf entstanden die neuen Werte und Aussagearten des sogenannten Expressionismus.

Die expressionistische Generation suchte sich ihre eigenen mythologischen Gestalten. Unter ihnen herrschen nicht die klaren, marmornen Götter vor, sondern wilde, heidnische, zerstörerische Dämonen. Baal, die semitische, heidnische Gottheit, der Gegenspieler Jahwes im Alten Testament, erscheint in der Dichtung. In Heyms «Gott der Stadt» ist er der Dämon, der die Stadt zerstört, in Brechts frühem Drama «Baal» stellt er die vitale, zerstörerische Menschennatur dar.

Die lang versunkene Gestalt Baals findet sich auch im Werk van Hoddis'. Das nach Pörtners Ausgabe erste Gedicht, welches das Suchen nach neuen Wahrheiten, das geistige Wagnis, zum Thema hat, nämlich «Der Abenteurer», beginnt mit den Versen:

> «Der Gäa und der Baale greises Haupt
> Erhob sich neu im Prunk der hellsten Tage.» [24]

Gäa, die griechische Erdgöttin, ist die Urgottheit, die die vorolympischen Mächte, die Titanen, Giganten, Kyklopen und Erinnyen, gebar. Die Baale sind durch den ungebräuchlichen Plural als untergeordnete Dämonen charakterisiert. Die uralten Gottheiten erwachen neu «im Prunk der hellsten Tage». Sie verdrängen die strahlenden Olympier, Aurora hat keinen Platz «im breiten Glanz der Tage». Diese Formulierung klingt wie eine Vorbereitung zum «Prunk der hellsten Tage». Das Wort «Prunk» stammt aus dem gleichen toten, kristallinen Bereich wie «Glanz». Unter den Schutz der neu erstandenen uralten Götter will van Hoddis sein neues Dichten stellen. Im Gegensatz zum Werk Heyms treten diese Götter in seinen Gedichten nur dieses eine Mal auf. Heym kann auf mythologische Gestalten nicht verzichten, er ist ein gestalthafter, mythischer Dichter. Van Hoddis' Gedichte sind abstrakte, genau kalkulierte Erzeugnisse des Intellekts. Er gebraucht in seiner eigenständigen Lyrik jede Mythologie nur als literarisches Kampfmittel, nicht als Trägerin seiner eigenen Gedanken. Deshalb erscheinen in seinem reifen Werk keine mythologischen Gestalten mehr.

18

b) Die Auseinandersetzung mit der neuromantischen Dichtung

Die literarische Jugend des angehenden 20. Jahrhunderts verstand sich nicht als Glied eines weiträumigen literarischen Prozesses. Obschon sie auf jeder Entwicklungsstufe bestimmte Vorbilder hatte, betrachtete sie ihre eigene Produktion wesentlich als Revolution, als absoluten Neubeginn.

Das zeigt sich sehr schön im Tagebuch Georg Heyms. Er hielt sich für einen Revolutionär, für den großartigen Erneuerer der deutschen Lyrik. Aber gerade sein Werk ist eng mit bestimmten Vorbildern verbunden. Kurt Mautz zeigt in seinem Buch «Mythologie und Gesellschaft im Expressionismus» auf, wie sehr die frühe Lyrik dieses Dichters von der Neuromantik geprägt ist.

Schon 1910 bezeichnete ein Kritiker George als Heyms Lehrmeister. Heym schrieb darauf in sein Tagebuch: «Am meisten ärgert es mich, daß der Pressehengst des Berliner Tageblatts, dieser armselige Botokude ..., daß dieser Hohlkopf mich einen Schüler Georges nennt, wer mich kennt, weiß was ich von diesem tölpelhaften Hierophanten, verstiegenen Erfinder der kleinen Schrift und Lorbeerträger ipso iure halte [25].» Etwas später notierte er: «Zu einer Zeit, wo der sakrale Kadaver eines St. George und das überschminkte Frauenzimmer Maria Rilke auf dem nächtlichen Parnaß vor einem erstaunten Monde ein grünliches Marionettenspiel aufführen ..., in dieser traurigen Zeit wage ich mich verstohlen mit einem kleinen Buche hervor, das vielleicht den Beifall der wenigen Freunde der Kunst finden wird, die nicht aus Schwäche die Binger tönerne Pagode anbeten oder dem Prager Gecken seine Worte für Gedichte abkaufen [26].» Diese beiden Haßausbrüche deuten darauf hin, daß der Hinweis auf George Heym an einer empfindlichen Stelle traf. Seine Gedichte zeigen, wie ausweglos er von Georges Werk geprägt war. Es gelang ihm nicht, eine neue lyrische Form zu schaffen. Seltsam heben sich seine grotesken, schauerlichen Bilder der Stadtdämonen, der kreischenden Frauen und ekelerregenden Greise von den harmonischen Blankversen ab, in denen sie erscheinen und in denen auch George seine schönheitstrunkene, exquisite Traumwelt aufleuchten ließ. Heym war kein Formerneuerer. Daher wirken seine Gedichte oft langweilig und monoton. Sicher wußte er das selber. Seinem Unvermögen, aus den von George vorgegebenen Formen auszubrechen, machte er durch hasserfüllte Angriffe auf diesen Dichter Luft.

Derartigen Tagebuchnotizen und Aufzeichnungen stehen einige Gedichte Heyms zur Seite, die die neuromantische Dichtung bewußt parodieren: «Luna», «Der Park», «Die Städte im Wald» u. a. Das im Nachlaßband «Der Himmel Trauerspiel» abgedruckte Gedicht «Die Pflanzenfresser» [27] hat unverkennbar den auserwählten Jüngerkreis um George zum Gegenstand:

> «Der Atem zittert euch von Harmonie
> Darinnen ihr wie ernste Heilige wohnt,

> Dem Monde gleich, in goldener Magie,
> Der in der Regennacht in Wolken thront.»

So klare Angriffe auf George sind in Heyms Lyrik selten. Sie setzen einen eigenen, festen Standpunkt und ein gelöstes Verhältnis zur neuromantischen Dichtung voraus. Diese Bedingungen aber erfüllte Heym, wenn überhaupt, erst kurz vor seinem Tod. In seinem ganzen Werk finden sich aber Spuren des versteckten, verbissenen Kampfes mit Georges Dichtung.

Viele seiner frühen Gedichte sind ganz in Georges Gefolgschaft geschrieben. Im Sonett «Der sterbende Faun» [23], das bezeichnenderweise erst im Nachlaßband «Umbra vitae» abgedruckt wurde, übersteigert der junge Dichter das übernommene Bild des an den abendlichen Gestaden Thraziens sterbenden Fauns ins Kitschige. Schon die kunstvolle Form weist in den klassizistischen Bereich der Jahrhundertwende. Das Schlußterzett beschreibt eine Phantasielandschaft, wie man sie etwa aus den Gemälden Arnold Böcklins kennt:

> «Tief unter ihm verblaßt die weite Bai,
> Darüber hoch die roten Wolken ziehn,
> Und fern ein Purpursegel schwimmt vorbei.»

Dieses Gedicht hat den gleichen pubertären Charakter wie die vielen Tagebuchnotizen über den Selbstmord, den sich Heym auch am liebsten an der griechischen Küste bei Sonnenuntergang ausmalte.

Als alternder Dichter distanzierte er sich immer mehr von der neuromantischen Welt. Er stellte ihr die gräßlichste, ekelerregendste Realität gegenüber. Daß er aber trotz gedanklicher Entfremdung künstlerisch nur schwer vom Vorbild Georges loskam, zeigt Kurt Mautz am Gedicht «Der Wald» [24]. Auch es erschien erst postum in «Der Himmel Trauerspiel». Die erste Strophe beschreibt die Szenerie, einen Märchenwald. Er ist bevölkert vom personifizierten Abend, von Greifen mit schwarzem Schopf, von uraltem, wunderlichem Waldgetier, von Wesen also, die in Georges Dichtung einen hervorragenden Platz einnehmen. In dessen Gedicht «vogelschau» z. B. wimmelt es von Vögeln aller Art, die sich im hellen und heißen Winde wiegen. Auch dort ist der Schauplatz wie das Getier irreal, allerdings in positiver Weise: «der wald der tusferi» ist der Realität übergeordnet, in ihm spielt sich das eigentliche Leben ab. Bei Heym ist der «stille Wald», «das blaße Königreich», kurz vor dem Zusammenbruch. Die Vögel wiegen sich nicht spielerisch im Winde, sondern flüchten sich aus dem Wald «in graue Dämmerung». Die Georgeschen Bilder sind zwar noch verwendet, aber durchwegs mit negativen Attributen versehen: der Wald ist «still», das Königreich «blaß», die Sonne brennt «bleich», der König, der als Abend das nahe Ende seiner Herrschaft anzeigt, hat einen «dunklen» Kopf und eine «dunkle» Mantelschleppe, die Greife nicken mit «schwarzem» Schopf, das «wunderliche» Waldgetier krächzt mit «uralten» Schnäbeln und fliegt in «graue» Dämmerung. Das Totsein dieses ganzen Reiches und sein baldiger Zusammenbruch sind im Bild der letzten Strophe eindrücklich zusammengezogen:

«Tief in dem Wald ein See, der purpurrot
Wie eines Toten dunkles Auge glast.
In seinem wilden Schlunde tost und rast
Ein Wetter unten auf, wo Flamme loht.»

Der Waldsee, der das verborgene Zentrum des geheimnisvollen Waldes darstellt und in seinen Tiefen wunderbare Schätze zu bergen verspricht, ist ein totes Gewässer. Seine purpurrote Oberfläche gibt im Verwesungszustand ihre letzte, auserlesene Schönheit her. Tief im Grund aber rast ein Sturm, der noch nicht an die Oberfläche dringt, aber bald gewalttätig hervorbrechen wird. Das geheimnisvolle, tiefgründige Gewässer ist uns bereits im vorigen Kapitel (in «Traumkönig») als neuromantisches Bild für die esoterische Welt der Phantasie begegnet. Auch bei Heym hat es diese Bedeutung. Die neuromantische Welt glänzt wohl noch an der Oberfläche, ist aber tot. In den letzten zwei Versen Heyms erscheint ein neues, revolutionäres Bild: das rasende, flammende Unwetter. Es symbolisiert die zerstörerischen Kräfte der Revolution und ist im literarischen Expressionismus eines der häufigsten Bilder. In einem der bekanntesten Gedichte Heyms, in «Der Gott der Stadt» [30], schüttelt der zerstörerische Dämon seine Faust über der Stadt, und «ein Meer von Feuer jagt durch eine Straße». Dieses Gedicht hat gedanklich keine Beziehung zur neuromantischen Schönheitsdichtung mehr. Das Feuer lodert nicht mehr verborgen unter der Oberfläche, sondern rast offen und alles niederwerfend durch die Straßen. In «Der Wald» dagegen ist der Feuersturm erst in Vorbereitung. Der neuromantische Märchenwald besteht hier noch und zeigt sich in seiner letzten, leeren Schönheit. Das zeigt sich auch in der Sprache. In den ersten drei Strophen verwendet Heym Georgesche Bilder, die er kaum merklich verfremdet. Erst in der letzten Strophe erscheint eine eindeutig neue Vision. Man hat den Eindruck, daß Heym den neuromantischen Sprachzauber nur ungern aufgibt. Er gewinnt ihm in seiner letzten Verwendung erstaunliche Wirkungen ab.

Die Auseinandersetzung Heyms mit George äußert sich vorwiegend nicht in scharfsinnigen Formulierungen und gedanklichen Abhandlungen, sondern in seiner Lyrik. Er übernimmt Georges Bilderwelt und verfremdet sie. Daß er sie übernimmt, beweist, daß er noch nicht in der Lage ist, eigene, gleichwertige Symbole zu schaffen; daß er sie verfremdet, zeigt, daß sie der Realität nicht mehr gewachsen sind.

Von anderer, weniger intensiver Art ist die Auseinandersetzung George–van Hoddis. Auch van Hoddis imitierte in seinen ersten dichterischen Versuchen die neuromantische Dichtung. Jeder junge Künstler braucht ein Vorbild, und in jenen Jahren war auf literarischem Gebiet der Einfluß Georges überragend. Seine Wirkung läßt sich in den Frühwerken vieler Berliner Dichter jener Zeit nachweisen.

Der Drang, sich in geistige Abenteuer zu stürzen und Neues zu schaffen, bewahrte van Hoddis vor einer engen, langwierigen Bindung an sein erstes Vorbild. Sein Verhältnis zu George wurde bald klar und affektfrei. Die neuromantische Bilderwelt war für ihn nur noch als Zielscheibe seiner raffinierten Spottverse wichtig.

Helmut Greulich berichtet in seinem Buch über Heym, daß van Hoddis George verehrte. Seine ersten Verse legen dafür Zeugnis ab. Das Gedicht «Traumkönig» und vor allem die folgende Strophe sind ganz im Stil Georges geschrieben:

> «Weihe deinen Geist dem Feste
> Heiter schreite durch die Auen
> Durch die sonnig wirren blauen
> Schatten der belaubten Äste.» 31

Diese Strophe würde, in Kleinschrift gedruckt, jedem Gedichtband Georges gut anstehen.

Neben diesen neuromantischen, schönheitschweren Versen stehen aber gleichzeitig entstandene Gedichte, in denen von einem Einfluß Georges nichts zu spüren ist. So ist in «Morgens» in neuartiger Sprache das Erwachen einer modernen Großstadt beschrieben. Anstelle der Aufforderung, heiter durch die Auen zu schreiten, entstanden Verse wie:

> «Nach Hause stiefeln wir verstört und alt.» 32

Van Hoddis erkannte die neuromantische Dichtung bald als Versuch, aus der häßlichen, brutalen Realität in die unverbindliche Phantasie zu fliehen. Ihm war diese Flucht nicht möglich, da er die Realität nicht übersehen und überhören konnte. Diese Tatsache läßt sich aus den Gedichten «Wunderlegende» und «Traum» ablesen:

Wunderlegende

> Geschuppte Panzer zogen durch die Lichtung
> Zu einem grünen Walde hin.
> Das ganze ist nur eine Dichtung,
> Doch steckt vielleicht ein tiefer Sinn
> In diesen Worten.
>
> Denn man kann nicht wissen.
>
> Denn Wunderblumen öffnen jede Höhle,
> Wo jeder Saal von goldnen Schätzen protzt,
> Und machen schweigen jene Hundetöhle,
> Die unterwegs dich grünlich angeglotzt.

Dann stehst du drin und füllst dir deine Taschen
Und hast umsonst den ganzen Zauberkram.
Doch ein paar blutigblaue Schatten haschen
Nach dir zuletzt. Da wirst du wieder zahm.

Und weil du auch noch eine kleine Maus liebst
Gehst abends du mit ihr zur neuen Welt.
Doch wie du deine Zaubergroschen ausgibst,
Kommt der Gendarm – denn es ist falsches Geld.

Die ersten zwei Verse beschreiben einen Vorgang aus der Sagenwelt. Sie sind sehr banal. In einer kurzen Überleitung zum eigentlichen Thema wird die ironische Vermutung ausgesprochen, daß diese zwei Verse vielleicht einen tiefen Sinn bergen, da sie doch Poesie sind. Die drei folgenden, formal gleichmäßigen Strophen sind eine Parodie auf die romantische Poetik. Dichtung als höchste Deutung des Weltgeheimnisses, als «Zauberwort», das die Weltharmonie zum Erklingen bringt: diese Auffassung ist für van Hoddis eine Wunderlegende, die keine Wahrheit mehr enthält.

Die blaue Blume, die bei Novalis den Schlüssel zum Weltgeheimnis symbolisiert, erscheint im Plural als «Wunderblumen», die jede beliebige, mit goldenen Schätzen protzende Höhle aufschließen, ähnlich den Haselruten, die den Wassersuchern verborgene Quellen verraten. Sie lassen im besten Fall die elende Realität, dargestellt durch die grünlich glotzende Hundetöhle, vergessen, sind aber reine Phantasie. Wer sich in ihr Reich begibt, wird verfolgt von blutigblauen Schatten, die den Flüchtling wieder auf den Boden der Realität zurückbringen. Auch sie sind blau wie die romantische blaue Blume, aber blutig-blau, von der violetten Bläue der Leichen. In der Liebe, die für Novalis die Bedeutung einer Religion hatte und die er ins Überirdische erhob, erweist sich vollends, daß die romantische Auffassung von ihr der Realität nicht standhält. Die Geliebte ist berlinerisch als «kleine Maus» bezeichnet, mit der man sich abends im Vergnügungsviertel der Großstadt amüsiert. Hier haben die in der Wunderhöhle gefundenen Zaubergroschen keinen Wert, der Gendarm zieht sie ein. Die Erfüllung der Liebe ist kein Wunder mehr, die Seele hat mit diesem Vorgang nichts zu schaffen, die Liebe muß mit hartem Silbergeld bezahlt werden.

Van Hoddis steht hier der romantischen Bilderwelt schon ganz ablehnend gegenüber, er gebraucht sie nur noch zu parodistischen Zwecken. Wie kompromißlos er die romantische Gedanken- und Bilderwelt an der modernen Realität mißt, zeigt die letzte Strophe: der Dichter scheut sich nicht, die romantische Auffassung der Liebe nach ihrem Marktwert auf einem Berliner Rummelplatz zu prüfen und, da sie nichts hergibt, zu verwerfen.

Formal und gedanklich zerfällt das Gedicht in zwei Teile. Die ersten sechs Verse haben zwischen zwei und fünf Hebungen. Das Fehlen des Reims im fünften und sechsten Vers spiegelt die Banalität der Aussage. In diesem for-

mal uneinheitlichen Teil wird, anhand eines ungeeigneten Beispiels, ironisch
behauptet, daß jedes Dichterwort eine tiefe Bedeutung enthalte. Der zweite
Teil, bestehend aus drei gleichmäßigen Blankversstrophen, widerlegt diese
Behauptung. Das Gedicht besteht also aus These und Antithese. Nach diesem dialektischen Muster sind auch die einzelnen Strophen des zweiten Teils
gebaut. Dem romantischen Bild, der These, ist in jeder der drei Strophen ein
Bild aus der modernen Realität als Antithese gegenübergestellt. Die, wenn
auch verfremdende, Übernahme der romantischen Bilderwelt und ihre Verwendung im Gedicht zeigt doch, daß sie van Hoddis immer noch als eine
Möglichkeit beschäftigte. Wäre sie für ihn überhaupt nicht interessant gewesen, so hätte er sie auch nicht parodiert.

Das mindestens zwei Jahre später entstandene Gedicht «Traum» behandelt ein ähnliches Thema wie die «Wunderlegende»:

Traum

Jawohl! Wir träumen oft von großen Prünken
Und durch die goldene Stadt als Triumphator
Kutschieren wir erhaben dem Senat vor
Und nackte Mädchen stehn auf Marmorstrünken.

Der Wagen fliegt den Vogelflug der Möwe
Trotzdem er köstlich teure Beute führt
Und diamantenes Geschirr umschnürt
Die Löwin und den Tibetaner Löwen.

Da stürzt der Wagen. Plötzlich! Weh, verlieren
Die Löwen sich zur Wut der Wüstennächte.
Weh! Wer ist nahe, der uns Hilfe brächte?
Weh! In der Not! – Die Bestien koitieren.

Das Gedicht besteht, wie der zweite Teil der «Wunderlegende», aus drei
regelmäßigen Blankversstrophen. Die zwei ersten Strophen parodieren eine
Prunkszene aus dem alten Rom. Das Geschehen ist als Traum ausgegeben.
Eine geträumte Prunkszene: ohne Zweifel ist damit die irreale, schönheitstrunkene Bilderwelt der neuromantischen Dichtung gemeint. Die Träumenden sehen sich in einem prächtigen Wagen als Triumphatoren durch die alte
Hauptstadt fahren. Sie entpuppen sich in ihrem Vokabular als spießerische
Aufschneider. Der Ausruf «Jawohl!» am Anfang des Gedichts stammt aus
dem Wortschatz eines Biertrinkers am Stammtisch. In den gleichen spieß-
bürgerlichen Bereich gehört das Wort «kutschieren». Die nackten Mädchen
auf den Marmorstrünken, die «köstlich teure Beute», das «diamantene Geschirr», die «goldene Stadt», das Wort «erhaben» im dritten Vers, alle diese
Einzelheiten sind dem Wunschtraum eines biederen Berliners entnommen,
der gern einmal nach Rom gefahren wäre. In den beiden preziösen Reimpaaren der ersten Strophe spiegelt sich die falsche Sehnsucht nach prunk-

voller Schönheit. «Prünke», ein Wort, das hier ausnahmsweise in den Plural gesetzt ist mit gleich abschätzigem Effekt wie die «Wunderblumen» in der «Wunderlegende», reimt sich auf «Strünke». Beide Reimwörter sind fehl am Platz, das erste wegen des Plurals, das zweite wegen seiner Verbindung mit «Marmor» zu «Marmorstrünke». Es gibt die Marmorsäule und den Holzstrunk. Die Verbindung «Marmorstrunk» verbindet zwei Dinge aus zwei sich fremden Bereichen, sie wirkt gleich unecht und gezwungen wie die Schönheitsduselei der Träumenden. Das zweite Reimpaar «Triumphator» – «Senat vor» ist ein Musterbeispiel raffinierten parodistischen Reimens. Gereimt sind je zwei Silben, die im ersten Reim zu einem Wort, im zweiten zu zwei verschiedenen Wörtern gehören. Hinzu kommt, daß der Konsonant «v» oder «ph» einmal vor der zweitletzten Silbe steht, das andere Mal vor der letzten. Das Reimpaar «phator–atvor» ist ein halber Schüttelreim.

In der dritten Strophe ändert sich die Szenerie plötzlich. Der Wagen bricht zusammen, seine Insassen bekommen es mit der Angst zu tun. Das Wehgeschrei der vorher so stolzen Triumphatoren tönt durch die ganze Strophe, gesteigert durch die achtfache Alliteration in den Wörtern Wagen, weh, Löwen, Wut, Wüstennächte, weh, wer, weh. Das Gejammer wirkt blamabel. Die Schreienden sind hilflos. Gleich werden sich die wilden Bestien auf sie stürzen.

Aber die beiden Löwen, die vorher in diamantenes Geschirr geschnürt den Wagen zogen, werfen sich nicht wie erwartet auf die zeternden Insassen. Sie kümmern sich überhaupt nicht um ihre früheren Bändiger, denen sie im Moment des Wagensturzes überlegen sind und an denen sie sich blutig rächen könnten, sondern sie koitieren. Das Wort «koitieren» bezeichnet den Vorgang zwischen dem Löwenpaar physiologisch korrekt und sachlich, im Gegensatz zur überschwenglichen, hohl pathetischen Beschreibung des früheren Geschehens. Die aus dem Wagen stürzenden Träumer werden durch die beiden Tiere lächerlich gemacht.

In die prukvolle Szenerie, gemeint ist die neuromatische Dichtung, bricht die Natur der Wüstentiere, gemeint ist die beginnende expressionistische Dichtung. Das geschieht, nach dem vorliegenden Gedicht, ohne ernsthafte Auseinandersetzung. Die von lästigen Fesseln freigewordenen jungen Dichter kümmern sich nicht mehr um die Neuromantiker, sie folgen ihrer eigenen Natur.

Die «Wunderlegende» beantwortet die Frage nach der Möglichkeit der romantischen und der neuromantischen Dichtung in der modernen Zeit wohl negativ, aber immer noch mit der verfremdenden Übernahme romantischer Bilder. Der «Traum» verzichtet auf jede Auseinandersetzung mit der neuromantischen Bilderwelt. Er deutet sie als Wunschtraum biederer deutscher Spießer, die sich nach vergangener prunkvoller Schönheit sehnen. Die freigewordenen Tiere, die Vertreter der natürlichen Realität, nehmen überhaupt nicht Kenntnis von den versponnenen Träumern, in deren Dienst sie gestanden sind.

Die Abkehr von der neuromantischen Dichtung und die Hinwendung zur modernen Realität stehen bei vielen Dichtern der expressionistischen Generation am Anfang ihres künstlerischen Weges. Toller vergleicht diesen Vorgang mit dem Erwachen aus einem Traum:

«Wir blickten traumschwer blinzelnd auf
Und hörten neben uns den Menschen schreien!» 33

Auch bei van Hoddis taucht dieser Vergleich auf. Seine echteste Imitation der neuromantischen Dichtung trägt den Titel «Traumkönig». In diesem Gedicht gibt es noch kein Erwachen, das Reich der Meerestiefe wird aber dem Traumreich zugeordnet. Das Gedicht, welches die endgültige Distanzierung von der neuromantischen Dichtung ausdrückt, ist überschrieben mit «Traum». Der Sturz des Wagens und das Einbrechen der Wüstentiere in die neuromantische Prunkszenerie läßt sich dem Erwachen aus einem schönen Traum gleichstellen. Der Begriff «Traum» hat hier noch nicht die Bedeutung, die ihm Freud in seiner «Traumdeutung» verlieh, sondern die des Sprichworts «Träume sind Schäume»: die neuromantische Welt ist eine Traumwelt, in der man wohl unverbindlich und beruhigt herumphantasieren kann, die aber vom Wesentlichen, nämlich vom Schreien des Menschen, ablenkt.

c) Der Angriff auf die vom Bürgertum verehrte deutsche Klassik

Die zweifelhafte Verehrung, die das aufstrebende Bürgertum im 19. Jahrhundert Dichtern wie Goethe und Schiller entgegenbrachte, war ein häufiges Angriffsziel der deutschen Dichter um 1900. In jener nicht nur literarisch nach rückwärts ausgerichteten Zeit mußte sich ein junger Dichter mit dem übermächtigen Erbe auseinandersetzen, bevor sich ihm neue künstlerische Möglichkeiten eröffneten. Bezeichnend für diese Auseinandersetzung ist es, daß der Angriff nicht den klassischen Dichtern selbst galt, sondern den falschen Vorstellungen von ihnen, die in den Köpfen der damaligen Gymnasiallehrer und in den Schulbüchern grassierten. Nur so lassen sich die merkwürdig scharfen und voreingenommenen Aussagen vieler Dichter der damaligen Zeit verstehen.

Diese zwiespältige Haltung vor allem gegenüber Goethe bringt Dehmel in seinem Aufsatz «Der Olympier Goethe, ein Protest» 34 schön zum Ausdruck: «Eine öffentliche Gesellschaft von allerlei strebsamen Bürgersleuten hatte mich einmal eingeladen, Gedichte von Goethe zu deklamieren. Seit langer Zeit zum ersten Mal wieder las ich nun seine lyrischen Werke von A–Z und der Reihe nach durch ... Ich fand einen wesentlich anderen Goethe, als ich ihn in der Vorstellung trug, und als er wahrscheinlich vielen Deutschen von der Schulbank her vorschweben wird ... Das Bild des weisen Herrn Geheimrats, des harmonischen Olympiers, das der pädagogische Biedersinn unsrer meisten Literaturprofessoren von ihm hergerichtet hat, versank vor mir in einem chaotischen Nebelbrodem von Schmerzen, Leidenschaften und Zweifeln, aus denen nicht ein olympischer, sondern – um im antiken Gleichnis zu bleiben – ein titanischer Genius einen Kosmos herauszuläutern sucht ...»

Neben dieser protestierenden Würdigung Goethes schrieb Dehmel Verse wie folgendes Distichon:

> «Aber da sitzt mir der Küchengeruch von Goethen und Schillern
> zäh in Nase und Mund, klassisch dampft mein Gehirn.»[35]

Wie Dehmels Aufsatz zeigt, ist dieses Distichon nicht gegen Goethe und Schiller geschrieben, sondern gegen das Bürgertum, gegen die «öffentliche Gesellschaft von allerlei strebsamen Bürgersleuten».

Fontane schrieb 1896 in einem Brief: «Wir sind in einem Goethebann und müssen daraus heraus[36].» Arno Holz dichtete folgende Verse:

> «Der alte Prachtpapa aus Weimar
> dient heute nur noch als Polizeimahr.
> Sein Schlafrock flattert, seine Zipfelmütze weht
> überall, wos nach rückwärts geht.»[37]

Die Beispiele solcher Angriffe gegen Goethe ließen sich häufen. Sie sind gegen die Gesellschaft gerichtet, sind Gesellschaftskritik und bedienen sich vorwiegend parodistischer Stilmittel. Die Parodie erlangte in jenen Jahren überragende Bedeutung. Mit dieser Technik konnte man dem Bürgertum die Leerheit und Falschheit der von ihm verehrten Kunstgötter vor Augen führen. Der junge Brecht bevorzugte sie als wirksames literarisches Kampfmittel. Seine «Hauspostille» besteht vorwiegend aus Parodien. So erscheint z.B. Goethes Gedicht «Wandrers Nachtlied» in veränderter Form als Refrain in der «Liturgie vom Hauch»[38]. Dieses Gedicht ist nicht mehr gegen Goethe gerichtet, sondern ausschließlich gegen die bürgerliche Gesellschaft. Brecht bot in seinem frühen Werk die ganze Weltliteratur auf, nicht um sie zu widerlegen, sondern als willkommenes Kampfmittel gegen das Bürgertum. Seine Parodien sind die letzte Stufe eines Vorgangs, der am Ende des 19. Jahrhunderts seinen Anfang nahm.

Die neuromantischen Dichter schrieben keine Parodien, weil sie sich in das Reich der hohen Kunst zurückzogen und gegen keine gesellschaftliche Realität ankämpften.

Heinrich Mann zeichnete in seinem 1905 erschienenen Roman «Professor Unrat»[39] eine großartige Karikatur der wilhelminischen Epoche. Hauptperson ist ein selbstbewußter Professor an der Mittelschule einer mittelgroßen Stadt Deutschlands, der seinen Schülern das klassische Erbe beizubringen versucht. Diese Aufgabe erfüllt er in der ungünstigsten Weise. «Mit der Jungfrau von Orléans beschäftigte die Klasse sich seit Ostern, seit dreiviertel Jahren. Den Sitzengebliebenen war sie sogar schon aus dem Vorjahr geläufig. Man hatte sie vor- und rückwärts gelesen, Szenen auswendig gelernt, geschichtliche Erläuterungen geliefert, Poetik an ihr getrieben und Grammatik, ihre Verse in Prosa übertragen und die Prosa zurück in Verse [40].» Diese Methode hat zur Folge, daß Schillers Drama für den Schüler ungenießbar wird. «Zwanzig Jahre vielleicht wird er brauchen, bis Johanna ihm wieder etwas anderes sein kann als eine staubige Pedantin [41].» Unrats Unterrichtstechnik ist wohl etwas übertrieben dargestellt, im wesentlichen wurde sie aber von den meisten Professoren an den wilhelminischen Gymnasien angewandt. Die Aussagen vieler Expressionisten legen dafür Zeugnis ab. Heym notiert 1905 in sein Tagebuch: «Ich habe heute einen Aufsatz zurückbekommen: Frieden und Streit in Goethes Hermann und Dorothea ... Was das für eine Qual ist unter einem solchen hölzernen Kerl von Pauker zu arbeiten. Steif wie ein Ladestock. Bei Besprechung der Friedensszene im Hause des Wirtes eingangs des Gedichtes schreibe ich: Diese ganze Friedensszene nimmt sich aus wie ein Bildchen auf den verstaubten Porzellantäßchen der Großmutter. Urteil: ‚Werden sie nicht abgewischt?' [42]» 1911 tituliert er Goethe als «Schwein» [43]. Wenig später bezeichnet er seinen Vater als «schweinern» [44]. Diese Aussagen sind nur psychologisch verständlich. In ihnen klingt der ganze Haß auf das tonangebende Bürgertum auf. Folgende Tagebuchnotiz zeigt deutlich, wer mit den saftigen Bezeichnungen eigentlich gemeint ist: «Was das Deutsche literarische Publicum nur an dem Weimarer Höfling und Kunstbonzen im Nebenberuf hat, an diesem aufgeblasenen Idioten und feisten Wasserkopf [45].» Das Publikum, das der ruhmsüchtige Heym für sich gewinnen möchte, liest und verehrt Goethe. Gegen ihn läßt der junge Dichter seinen Haß ausbrechen, der eigentlich dem Publikum gilt.

Auch der junge van Hoddis besuchte ein wilhelminisches Gymnasium. 1906 bestand er das Abitur am Berliner Friedrichs-Gymnasium. Wie Loewenson berichtet, hatte er einen Deutschlehrer, der zu sagen pflegte: «Sudermann, Hauptmann, Nietzsche und die anderen Schweine [46].» Daß der Professor die drei Namen in einem Atemzug aufzählte, zeigt, wie wenig er von ihnen wußte.

Van Hoddis' Eltern waren hochangesehene Bürgersleute. Mit seinem Vater, einem skeptisch eingestellten Mediziner, hatte er nicht viel Kontakt. Die Mutter stammte aus einer hochkultivierten jüdischen Gutsbesitzerfamilie und hatte idealistische Anschauungen. Sie verstand viel von Lyrik, fand aber die Strophen ihres Sohnes zu radikal. Die Eltern empfanden seine Verse wohl als Affront. In den beiden vor 1910 entstandenen Gedichten «He!» und «Der Oberlehrer» rechnet der junge van Hoddis mit seinen Erziehern ab. Auch in

einigen späteren Strophen tauchen sie vereinzelt wieder auf, so die Großmama, die hinterm Ofen Mehlsuppe ißt, der Waschtisch, der als Großmama
vermahnend dasteht, weiße Fliegenschwärme, die wie verrückte Tanten herumschwirren, und ein braver, etwas zu gebildeter Sanitätsrat, der Vater. Diese
Verse sind aber nicht mehr gegen die Verwandtschaft geschrieben. Die Familienangehörigen sind dem Dichter so gleichgültig geworden, daß er ihre
Namen nur um eines raffinierten Effekts willen in seine Verse einsetzt. In
der «Hymne» belächelt er amüsiert Großmutter und Vater:

«Meine Großmama Pauline erscheint als Astralleib
Und sogar ein Herr Sanitätsrat
Ein braver aber etwas zu gebildeter
Sanitätsrat
Wird mir wieder amüsant.»

Im Gegensatz zu diesen späten Versen sind die beiden folgenden Gedichte
hauptsächlich gegen die Erzieher, die Lehrer und den Vater, gerichtet:

He!

Abend war's: Die Gänse schnattern
Heimwärts in die Abendsonne
– Denkt der Stadtherr poesievoll.

Ha! Der Vater mit dem Sohne
– Auf dem Zündloch der Kanone –
Geht aufs Tempelhofer Feld.

Kürassiere schreiten richtig,
Vater nimmt die Sache wichtig:
«Sohn, o Sohn, o werde tüchtig!»

Ha! Er gibt den Rat ihm nun,
Die unerhörte Tat zu tun,
Endlich ein Genie zu sein.

Ha! Aus seiner stillen Klause
Wo er korrigierend thront,
Steigt ein blaßer Oberlehrer
Und beschaut den roten Mond.

«Einst als gelockter Jüngling in der Bar
Sah ich begeistert mancher Dame Schwips.
O, überirdisch himmlisch stand ihr Haar
Zur Rötlichkeit des Sherry Brandy Flips.»

Der poesievoll denkende Stadtherr, der Vater, der aus seinem Sohn ein
Genie machen möchte, und der den roten Mond beschauende Oberlehrer
sind die Angriffsziele. Alle drei sind für den Sohn mächtige Herren. Am
Abend geben sie sich einer poetischen Stimmung hin. Der Stadtherr, tags-

über vielleicht ein taktisch kalkulierender Politiker, denkt poesievoll. Er wird im Licht der Abendsonne sentimental und erinnert sich an einige dichterische Gedanken, die seiner täglichen Arbeit fremd sind. Der Vater wandert mit seinem Sohn auf den preußischen Exerzierplatz und fordert ihn angesichts der Kanonen und der marschierenden Kürassiere auf, endlich ein Genie zu werden. Der Begriff «Genie» ist mit Goethe verbunden. Der Sohn soll, nach dem Wunsch des Vaters, in der waffenstarrenden, das preußische Soldatentum repräsentierenden Umgebung ein ähnlich großer und weiser Dichter wie Goethe werden. Der Oberlehrer wird durch den Einbruch des Abends vollends kindisch. Er unterbricht seine Korrekturarbeit und gibt sich sentimentalen Jugenderinnerungen hin.

Das ganze Gedicht ist eine Parodie auf die Abendstimmungslyrik des 19. Jahrhunderts. An Stelle des Nachtigallengesanges schnattern Gänse. Die Spaziergänger wandern nicht einem plätschernden Bächlein entlang, sondern begeben sich auf den Exerzierplatz. Ihre Unterhaltung beschränkt sich auf stupides Geschwätz über männliche Tüchtigkeit. Der Arbeitsplatz des Lehrers, an dem er wohl auf ähnliche Weise korrigiert wie der Deutschlehrer, den Heym in seinem Tagebuch beschreibt, wird eine «stille Klause» genannt. Seit dem Rokoko ist die stille Klause der bevorzugte Aufenthaltsort empfindsamer Schwärmer. Die blaße Hautfarbe des Oberlehrers paßt gut in diese Umgebung. Aber er «thront» darin. Dieses Verb drückt seine falsche, protzige Haltung aus. Auch seine Tätigkeit, das Korrigieren, verträgt sich nicht mit der beschaulichen, zu schönen Gedanken anregenden Örtlichkeit. Der Anbruch der Dämmerung veranlaßt ihn, aus dem muffigen Loch, in dem er sich in Wirklichkeit befindet, an die frische Luft zu «steigen» und sehnsüchtigen Gedanken nachzuhängen. Der Mond, den er «beschaut», leuchtet nicht silbern oder blaß, sondern «rot». Seine Farbe ist ins Kitschige übersteigert. So wird die geistige Landschaft, in der sich der Oberlehrer bewegt und die aus der Romantik stammt, parodiert, indem den romantischen Chiffren wie «stille Klause», «blaß» und «Mond» Wendungen wie «korrigierend thronen», «steigen» und «beschauen» beigefügt sind, die aus der banalen, präzisen Umgangssprache stammen.

Die gleiche Technik läßt sich an weiteren Einzelheiten zeigen. Der Titel «He!» ist der Umgangssprache entnommen. Er wird im Ausruf «Ha!» dreimal wiederholt. In Schillers Dramen steht dieser Ausruf an den Stellen der höchsten Erregung und paßt in den Zusammenhang der pathetischen Sprache. Bei van Hoddis ist er im Gegensatz zur banalen Alltagssprache verwendet und macht das hohle, falsche Pathos des Geschehens deutlich. Auch der wiederholte, feierliche Ausruf «O!» ist nicht gerechtfertigt. Der gute Rat des Vaters, «die unerhörte Tat zu tun, endlich ein Genie zu sein», ist schon in der Formulierung als Phrase entlarvt. Ein Genie zu sein ist keine Tat, sondern ein Zustand. Man ist es von Anfang an oder wird es nie. Der Ausruf «O

Sohn!» leitet also eine äußerst dumme Rede ein, obschon er einen hohen Anspruch erhebt. Auch die Erinnerung des Oberlehrers ist in der gleichen Technik dargestellt. Der an seine Jugendzeit Zurückdenkende sieht sich als «gelockten Jüngling», der «begeistert» das «überirdisch himmlische» Haar einer Dame bewundert. Auch diesen Wörtern, die in früherer Dichtung ihren Platz haben und vom Oberlehrer unverarbeitet übernommen werden, sind Ausdrücke entgegengestellt, die die moderne Realität beschreiben. Der gelockte Jüngling steht in der Bar, die Begeisterung bezieht sich auf den Schwips einer Dame, und das überirdisch himmlische Haar ist mit der Farbe eines modernen alkoholischen Getränks verglichen. Der Oberlehrer entpuppt sich als ein zurückgebliebener Träumer, dessen Geist und Formulierungen aus einer anderen Zeit stammen.

Auch Professor Unrat in Heinrich Manns Roman redet eine verstaubte, tote Sprache. Der unbeschwerten, mit Berliner Argot durchsetzten Plauderei der Künstlerin Fröhlich weiß er nichts entgegenzusetzen als angelernte Floskeln wie «ferilich denn wohl» und «immer mal wieder». Die Quelle dieser erstarrten Wortgruppen ist nicht die deutsche Dichtung des 18. und 19. Jahrhunderts, sondern die klassische antike Literatur. Aber auch sie dienen dem Zweck, die Lebensfremdheit des geistig in der Vergangenheit lebenden Professors zu zeigen.

Die Erinnerung des Oberlehrers ist, im Gegensatz zu den übrigen Strophen, in Blankversen geschrieben, im Versmaß der klassischen deutschen Dramen. Hier ist dieser Vers parodistisch verwendet. Die Rede des Oberlehrers, dessen geistige Heimat die deutsche Klassik ist, erscheint in klassischer Versform.

Wie in seiner Sprache der Bruch zwischen hergebrachten, erstarrten Wortgruppen und Wörtern aus der modernen Umgangssprache zum Vorschein kommt, so vermag auch seine kindische Aussage das klassische Versmaß nicht mehr zu füllen. Die Blankversstrophe wird zur kabarettistischen Gassenhauerstrophe.

Das übrige Gedicht besteht aus vierhebigen trochäischen Versen. Sie sind nur zum Teil gereimt. Ihr Rhythmus mit der betonten ersten Silbe wirkt hölzern und klotzig. Er spiegelt das Marschieren der Kürassiere wider und wird erst durch den jambischen Rhythmus der letzten Strophe unterbrochen. In den ersten beiden Strophen ist, schon beinahe in futuristischer Manier, je ein Vers grammatisch zusammenhangios eingeschoben. Durch die Aneinanderreihung kurzer, einfacher Sätze, die meist gerade einen Vers füllen, und durch den sprunghaften Wechsel der Szenerie erscheint wie in einem Zusammensetzspiel ein Querschnitt der Welt, wie sie der junge van Hoddis vor sich sah. Die Diktion ist sehr straff und auf das Wesentliche beschränkt. In knappen Sätzen ist ein Bild der wilhelminischen Epoche entworfen und mit parodistischen Stilmitteln als hohl und falsch entlarvt.

Das zweiteilige Gedicht «Der Oberlehrer» behandelt zwei Szenen aus dem Schulunterricht:

Der Oberlehrer

I

Gewaltig hockt er auf dem Tisch und spricht
Von Theben und Athen heut nachmittag.
Ein grauer Schnurrbart starrt durch sein Gesicht,
Er riecht nach saurem Brot und nach Tobak.

Sein kahles Haupt umwettert der Gedanke
Von Thebens heiliger Schar, von Pindar spricht er;
Der Primus reibt sich an der alten Banke,
Die meisten machen willige Gesichter.

Er spricht von Theben heute nachmittag.
Einige heben ihre kleinen Hände,
Einige kitzeln leise sich am Sack
Und gucken schläfrig auf die leeren Wände.

«Wer hat soeben auf den Tisch gehauen?»
Durch die betrübten Fenster schimmern Wolken.
Die Jungen sitzen staunend und verdauen. –
Der Lehrer wird jetzt in der Nase polken.

II

Ich hab zuviel Bosheit heruntergeschluckt,
Die liegt jetzt im Magen und fault.
Da hab ich mir auf den Bauch gespuckt
Und mich gar nicht weiter gegrault.

Der Rohrstock pfiff. Mein Liebchen wand sich
Vor Wollust stöhnend und vor Wundheit.
Und tief, erfreulich tief empfand ich:
Jawohl, ich tu's für meine Gesundheit.

Im ersten Teil redet ein Oberlehrer über das alte Griechenland. Wie der «blaße Oberlehrer» aus «He!» ist er als seniler Schwachkopf charakterisiert, der seinen Schülern nichts zu sagen hat.

In den ersten beiden Strophen bedient sich van Hoddis der gleichen Technik wie in «He!». Er beschreibt den Lehrer mit Wörtern aus der verstaubten professoralen Sprache und mengt unter sie Ausdrücke, die ihn präzis und realistisch schildern. So wird er in der ersten Strophe «gewaltig» genannt. Dieses Adjektiv stammt aus der antiken Sagenwelt. Es paßt zu den griechischen Heroen, von denen in der Schulstunde die Rede ist. Als Bezeichnung des Oberlehrers wirkt es lächerlich, da er «auf dem Tisch hockt». Der graue Schnurrbart, der durch sein Gesicht starrt, wirkt zuerst Ehrfurcht heischend. Er enthält aber Überreste von saurem Brot und von Tabak. Sie verraten die kümmerliche, säuerliche Lebensführung des Oberlehrers. Das Haupt, das der Gedanke umwettert, läßt einen gewaltigen, titanischen Denker vermuten. Aber es ist «kahl». Durch dieses Adjektiv wird klar, daß es sich um einen lächerlichen Dummkopf handelt, dessen Haare ausgefallen sind, der aber auch geistig kahl ist.

Die antithetische Technik, die in den einzelnen Versen festzustellen ist, läßt sich auch im Gefüge der Strophen nachweisen. Die ersten beiden Verse der zweiten Strophe handeln vom großartigen Unterrichtsstoff, von Theben und Pindar. In den zwei folgenden Versen ist von den Schülern die Rede, die sich gelangweilt an den Bänken reiben und willige Gesichter machen. Die antike Sagenwelt und die aktuelle, langweilige Welt der Schüler haben keine Beziehung zueinander, die Strophe zerfällt in zwei Teile.

Der Bruch zwischen den zwei Welten wird auch in den Reimpaaren deutlich. Auf die großen Wörter «Gedanken» und «Wolken», die aus dem Wortschatz des Lehrers stammen, reimen die Argotausdrücke «Banke» und «polken». Die Reimpaare «nachmittag»–«Tobak» und «nachmittag»–«Sack» sind konsonantisch unrein. In ihnen begegnen sich zwei Welten, die miteinander unvereinbar sind. Das Reimpaar «spricht»–«Gesicht» aus der ersten Strophe erscheint in der zweiten abgewandelt in «spricht er»–«Gesichter». Ebenfalls zweimal als Reim verwendet ist das Wort «nachmittag». Diesen Wiederholungen der Reimwörter steht die dreifache Bemerkung, daß der Lehrer von Theben spricht, zur Seite. All dies drückt die muffige Langweiligkeit des Unterrichts aus. Die raffinierte Reimtechnik ist vom Bänkelsang übernommen, der in jenen Jahren dank Dichtern wie Wedekind eine Blütezeit erlebte.

Der erste Teil des Gedichts ist in Blankversen geschrieben. Dreimal, im sechsten, zehnten und elften Vers, ist der jambische Rhythmus durch zwei aufeinanderfolgende Senkungen durchbrochen. Der Blankvers wurde in jener Zeit sehr oft für den Bänkelsang verwendet. Er war die geeignete Versform, um die traditionelle Dichtung und mit ihr das Bürgertum zu parodieren. Auch die rhythmische Auflockerung durch zweitaktige Senkungen war ein beliebtes Stilmittel der kabarettistischen Dichtung. Die Gedichte «He!» und vor allem «Der Oberlehrer» gehören zum Bänkelsang, der in den Kabaretts vor dem ersten Weltkrieg eine neue Blüte erlebte.

Die erste Strophe des zweiten Teils beschreibt die lässige, indifferente Haltung van Hoddis'. Da er zu viel Bosheit erfahren hat, ist er jetzt gefühllos. Nichts kann ihn aus der Fassung bringen.

Für diese in frechem Berliner Argot vorgebrachte Feststellung folgt in der zweiten Strophe ein Exempel. Der Lehrer schlägt vor der Klasse ein Mädchen. Der Dichter, ihr Liebhaber, schaut sich diesen Vorgang ungerührt an. Seine Gefühlskälte beweist ihm, daß er das Liebesverhältnis nur aus gesundheitlichen Gründen pflegt. Ähnlich abschätzig behandelt van Hoddis das große Thema der Liebe in den Gedichten «Wunderlegende», «Sonja» und «Die Tänzerin». Seine herausfordernde Einstellung ändert sich erst in seinen letzten Gedichten. In «Der Todesengel» und «Indianisch Lied» findet er leidenschaftliche, hohe Worte für die Liebe.

33

Die Erklärung für die abschätzige Auffassung der Liebe liefert «Die Tänzerin» aus dem Zyklus «Varieté»:

Die Tänzerin

Wie mich die zärtlichen Gelenke rühren,
Dein magrer Nacken, deiner Knie Biegen!
Ich zürne fast. Werde ich dir erliegen?
Wirst du zu jenem Traum zurück mich führen,

Den ich als Knabe liebend mir erbaute
Aus süßen Versen und dem Spiel der schönen
Schauspielerinnen, linden Geigentönen
Und Idealen, die ich klaute?

Ach! Keine fand ich jenem Traume gleich,
Ich mußte weinend Weib um Weib vermeiden,
Ich war verbannt zu unermeßnen Leiden,
Und hasse jenen Traum. Ich spähe bleich,

Und sorgsam späh ich, wie dein Leib sich wende,
Nach jeder Fehle, die im Tanz du zeigst,
Ich bin dir dankbar, da du doch am Ende
Mit einem blöden Lächeln dich verneigst.

Die mädchenhafte Zerbrechlichkeit der Tänzerin erinnert den Dichter an seine Knabenträume, in denen er einem unwirklichen Frauenideal nachhing. Ausdruck dieser Knabensehnsucht ist vor allem das Gedicht «Traumkönig». Wie der Gymnasiast von Ertzum im Roman «Professor Unrat» war der junge van Hoddis der überschminkten, zauberhaften Welt des Varietés verfallen gewesen und hatte deshalb zu keiner glücklichen Liebe gefunden. Die Verlogenheit der daraus entspringenden Melancholie erkennt schon von Ertzum im Moment, in dem er das wahre Gesicht seines vergötterten Idols sieht: «Sie stand mir so hoch, ich habe eigentlich, wenn ich es genau bedenke, nie gehofft, sie zu erlangen [47].»

Auch die Melancholie des Gymnasiasten van Hoddis war verlogen. Trotzdem ist ihm im Gedicht «Die Tänzerin» diese Stimmung immer noch zugänglich. Er haßt sie allerdings. Aber das Wort «hassen» drückt eine sehr intensive Beziehung aus. Unter Zürnen fragt er sich, ob er dem Zauber der Tänzerin erliegen werde. Am Schluß des Gedichts ist er dankbar, daß sie sich mit einem «blöden Lächeln» verneigt. Damit zeigt sie ihr wahres Gesicht. Aus der zerbrechlichen, hilfsbedürftigen Tänzerin, die in ihrem glitzernden Flitterkleid einem Engel gleicht, wird durch die entlarvende Schlußverbeugung ein reizloses, abgelebtes Mädchen.

In Heinrich Manns Roman verfallen der «Künstlerin» Fröhlich nicht nur einige Gymnasiasten und ein weltfremder Oberlehrer, sondern zuletzt eine ganze Stadt. Dieses an sich unbegreifliche Ereignis findet seine Erklärung in den gesellschaftlichen Verhältnissen der wilhelminischen Epoche. Die einfache, lebenslustige Tänzerin Fröhlich, die außerhalb der bürgerlichen Gesellschaft steht, wird zum Wunschtraum der geistig erstarrten, in vorbestimmten Lebensbahnen sich bewegenden Bürger. Daß sie als Ziel ihrer unerfüllten Liebessehnsucht gerade die gesellschaftlich unlautere «Künstlerin» Fröhlich erwählen, ist Ironie. Die klassischen Liebesgeschichten aus den Schulbüchern bieten keinen Reiz mehr. Das Liebesgeschehen rund um die Tänzerin Fröhlich wirkt erst recht fad und unecht. Dies erkannte van Hoddis früh. Der knabenhafte, sehnsüchtige Ton seiner ersten Gedichte weicht bald einer scharfen Ironie. Die aufgezählten Gedichte, in denen die Liebe als eine Banalität dargestellt wird, sind Reaktion einerseits auf seine übersteigerten Knabengefühle, die Gefühle einer ganzen Epoche waren, anderseits auf die überlieferten Liebesgeschichten, in denen die Liebe als «Himmelmacht», als Krone des Lebens dargestellt wird.

Die Zeit von 1909 bis 1911 war für van Hoddis die fruchtbarste Epoche. In diesen Jahren gelang ihm der Durchbruch in eine neue künstlerische Welt. Die Auseinandersetzung mit der bürgerlichen Tradition war für ihn vorläufig abgeschlossen.

Im Jahr 1911 griff er noch einmal auf seine früheren Themen zurück, unter anderem auch auf die Parodie der vom Bürgertum verehrten Klassik.

Die Wiederaufnahme bereits überwundener Themen hatte ihre Ursache im vorläufigen Scheitern des Dichters. Sein geistiges Vorwärtsdrängen zu neuen Positionen führte ihn in eine Krise, die er vorerst nicht überwinden konnte und aus der er sich wieder zurückzog. Ein Zeugnis dafür ist der Gedichtzyklus «Italien».

Dieser Zyklus besteht aus fünf Gedichten. Sie bilden den dichterischen Niederschlag einer Italienreise, die der junge van Hoddis als Belohnung für das bestandene Abiturientenexamen unternehmen durfte. Die einzelnen Reisestationen lassen sich nicht klar herauslesen. Das erste Gedicht handelt sicher von Venedig, das zweite von Florenz.

Der Gedanke, eine «Italienische Reise» in Versen zu schreiben, stammt nicht von ihm. In Dehmels Gedichtbuch «Weib und Welt» findet sich der Zyklus «Eine Rundreise in Ansichtspostkarten» [48]. Er setzt sich aus 55 Gedichten zusammen, die alle geographisch genau bestimmten Orten gelten. Dehmels Reiseweg ging über den Gotthard nach Genua–Neapel–Brindisi, von dort nach Griechenland und über Ancona–Florenz–Venedig zurück nach Deutschland. Vorbild für seine Reisebeschreibung war Goethes «Italienische Reise». Die klassische Vorstellung vom lichterfüllten, marmornen Götterland Italien ist für Dehmel noch weitgehend bestimmend. In einzelnen Gedichten finden sich aber schon äußerst scharfe Angriffe auf die berühmten Kunststätten, auf das Italien der Museen. Die ersten zwei Verse des Gedichts «Im Pantheon» lauten:

«Wer faßt dein Innres, Rom: du Kirchhof der Kulturen:
Verwesung glänzt darin mit immer frischen Spuren.»

Das in verwesender Schönheit schillernde Venedig bietet für Dehmel keinen Lebensraum mehr. Wie in Thomas Manns Novelle «Der Tod in Venedig» erscheint die Lagunenstadt als Ort des Todes:

> «Hier möcht ich sterben, alt, wie Tizian starb,
> doch in verhängter Gondel und allein.
> Durch einen Spalt nur glühn im Abendschein
> verwitterte Paläste glorienfarb.
> Schlaftrunken schaut die Wasserfläche drein
> und haucht mir eine Seelenruhe ein,
> die niemals um ein ewiges Dasein warb.
> So möcht ich sterben ... aber leben: nein!» 50

Die Gedichtsammlung «Weib und Welt» erschien erstmals 1896. Dreizehn Jahre später veröffentlichten die Futuristen ihre ersten Manifeste. Ihre Hauptangriffsziele waren Venedig und die Museen, die sie, wie Dehmel, als «Kirchhöfe» bezeichneten.

Dehmel fand in Italien noch einmal das beglückende Erleben der schönen, geformten Welt. Die Angriffe auf das Italien der Museen und Touristen erscheinen nur am Rande seiner Beschreibung. Im Gegensatz dazu ist der Italienzyklus van Hoddis' von Anfang an gegen das genießerische bürgerliche Leben, gegen die Weltanschauung, die aus der mißverstandenen deutschen Klassik übernommen wurde, gerichtet. Italien ist nur noch Vorwand, um die «Italienische Reise» Goethes zu parodieren. Schon der Anfang des ersten Gedichts stellt den Zusammenhang mit Goethe her:

> «Laß ab mit Gesten trauriger Poeten
> In Reim und Wollust sinnig zu verklingen,
> Du brauchst auch nicht als schlauster der Propheten,
> Probleme lösend, um Erlösung ringen.»

Melancholie und geistige Abenteuer sind nutzlos. Die prächtigen Gebäude entheben den Menschen jeder Sorge. Diese Erkenntnis fand offenbar Goethe in Italien. Das Gedicht endet mit dem Ausruf:

> «O lobe die Lagunen, die so stinken,
> In süße Tage wirst du bald versinken
> Vergnügt, Genießer, oft befrackt.»

Daß die glanzvolle Stadt, die den Beschauer in den Bann der Schönheit zieht, von stinkenden Lagunen durchzogen ist, stellte schon Goethe fest:
«Alles, was mich umgibt, ist würdig, ein großes respektables Werk versammelter Menschenkraft, ein herrliches Monument, nicht eines Gebieters, sondern eines Volks. Und wenn auch ihre Lagunen sich nach und nach aus-

36

füllen, böse Dünste über dem Sumpfe schweben, ihr Handel geschwächt, ihre Macht gesunken ist, so wird die ganze Anlage der Republik und ihr Wesen nicht einen Augenblick dem Beobachter weniger ehrwürdig sein. Sie unterliegt der Zeit, wie alles, was ein erscheinendes Dasein hat [51].» Die Verwesung, die aus den Lagunen steigt, hinderte Goethe nicht, sich dem venezianischen Prunk hinzugeben.

Für van Hoddis sind die stinkenden Lagunen Grund genug, die schillernde Schönheit Venedigs abzulehnen. Der Tourist, der im süßen Prunk der Lagunenstadt versinkt, ist ihm ein «vergnügter, oft befrackter Genießer», ein dummer, oberflächlicher Bürger.

Das dritte Gedicht des Zyklus ist eine direkte Auseinandersetzung mit dem damals vorherrschenden Goethebild.

> «Doch ein Palast stand huldvoll in Florenz,
> Er hob sich starr in steile Sonnengluten
> Mit reichem, runden, steinernen Gekränz,
> Sein Tor verzierten wuchtige Voluten.
>
> Er sprach: «O Mensch! Du weißt doch, was wir lehren!
> Gebildeter! schon Goethe hat erkannt es:
> Wer wird das Leben unnütz sich erschweren!
> Man stell sich auf und sei was Imposantes.
>
> Du aber liebst dir das Geabenteure,
> Du blickst bedenklich selbst zur schönsten Zinnung.
> Lockt dich der Hohn, der Zweifel und das Neure?
> An meinen Quadern scheitre deine Sinnung.
>
> Entschließe dich, auf Goethes Pfad zu schreiten
> Mit Männertritt und würdig froh gelaunt!
>
> Sein weißer Schlafrock glänzt durch die Gezeiten.»
> Sprach der Palast. Ich war nicht schlecht erstaunt.

Ein prunkvoller Palast in Florenz redet die Menschen an. Er unterschiebt Goethe die spießbürgerliche Auffassung vom angenehmen Leben. Der Mensch soll sich seine Tage nicht mit unnützen Sorgen erschweren, sondern «mit Männertritt und würdig froh gelaunt» durch die Welt schreiten.

Diese Gedanken sind parodiert, indem der Palast eine Sprache redet, die der Aussage nicht gemäß ist. Schon in der ersten Strophe, in der er beschrieben wird, erscheint ein unpassender Ausdruck. Das Wort «huldvoll» stammt aus einer vergangenen religiösen Sphäre, die zur sinnlichen, heidnischen Welt der «Italienischen Reise» Goethes den denkbar größten Gegensatz bildet.

Der Palast beginnt seine Rede mit «O Mensch!» und gleich nachfolgend mit «Gebildeter!» Offenbar anerkennt er nur die gebildeten Leute als Menschen. Wie diese Bildung aussieht, zeigen die Gedichte «He!» und «Der

Oberlehrer». Der Anruf «O Mensch!» ist also fehl am Platz, weil er nur geistig erstarrte, verblödete Menschen meint.

Die prägnanteste Formulierung der Lehre, die der Palast anpreist, ist der Satz: «Man stell sich auf und sei was Imposantes.»

Dieser Satz, der die höchste Weisheit verkünden soll, stammt aus der schnoddrigen Umgangssprache. «Aufstellen» kann man gewöhnlich nur leblose Gegenstände. Auch der Ausdruck «was Imposantes» meint etwas Totes, z. B. ein Denkmal. Der Satz fordert also den Menschen auf, sich in Positur zu werfen und in starrer, großartiger Stellung zu verharren. Nach der Meinung des Palastes lebte Goethe nach dieser Forderung und wurde so ein unverrückbares Denkmal.

Die zweitletzte Strophe fordert noch einmal dazu auf, «auf Goethes Pfad zu schreiten.» Ihre Sprache ist echt und der Aussage gemäß. Aber gleich im nächsten Vers wird auch diese Strophe parodiert: «Sein weißer Schlafrock weht durch die Gezeiten.» Wie in den bereits zitierten Versen von Arno Holz kennzeichnet auch hier der Schlafrock den klassischen Goethe als genießerischen Siebenschläfer. Das Substantiv «Gezeiten» löst die Assoziation eines am Meeresufer liegenden Marmorblocks aus. Auch an dieser Stelle erscheint Goethe als starres Denkmal.

In der dritten Strophe setzt sich der redende Palast mit den Gedanken des Zuhörers auseinander. Der Zuhörer ist van Hoddis. Er liebt das Geabenteure. «Der Hohn, der Zweifel und das Neure» locken ihn. Mit diesen Worten ist das geistige Vorwärtsdrängen des jungen Dichters charakterisiert. Sein abenteuerlicher Geist ist das Gegenteil der ruhigen, frohen Laune, die nach der Meinung des Palastes Goethe auszeichnete.

Die Reimpaare der dritten Srophe bestehen aus kühnen, ausgesuchten Wörtern. Sie geben der Rede eine gepflegte Delikatesse, die im Gegensatz zur primitiven Dummheit der Aussage steht und sie parodiert. Auch das Reimpaar «erkannt es–Imposantes» in der zweiten Strophe parodiert mit seiner Unbeholfenheit die Aussage. Die Reimtechnik ist die gleiche wie im Reimpaar «spricht er–Gesichter» im Gedicht «Der Oberlehrer».

Die Aussage und die parodistische Technik des Gedichts sind die gleichen wie in «Der Oberlehrer» und in «He!». Die Rolle des Vaters, der seinem Sohn dumme Anweisungen gibt, und die des geistig erstarrten Oberlehrers spielt jetzt der Palast. Der ganze «Italien»-Zyklus stellt eine Wiederaufnahme der Themen dar, die van Hoddis bereits in den Jahren vor 1909 beschäftigten.

Zweites Kapitel

DIE AUSEINANDERSETZUNG MIT NIETZSCHE

a) Das «Neopathetische Cabaret»

Die deutsche Kunstrevolution vor und während des Ersten Weltkriegs war das Werk einiger weniger Künstlergruppen. In den großen Städten Deutschlands, vor allem in Berlin, München, Dresden und Leipzig, schlossen sich gleichgesinnte Literaten, Maler und Musiker zusammen. Versammlungslokal war meistens ein Café, in dem man ungestört diskutieren und nach Belieben kommen und gehen konnte. So entstanden eigentliche Künstlercafés, die von den Bürgern mit Argwohn betrachtet wurden. Das Café des Westens z. B., der Treffpunkt der Berliner Expressionisten, wurde «Café Größenwahn» genannt. Hier schlossen sich die jungen, revolutionären Künstler zu gemeinsamen Kundgebungen und Aktionen zusammen. Die vielen Zeitschriften, die in diesen Jahren neu erschienen und sich meist nur kurze Zeit halten konnten, die Versuchsbühnen und die Bildergalerien für die neue Malerei wurden von einer ganzen Generation junger Künstler beliefert und getragen. Das bedingte auch die oft vorherrschende Mittelmäßigkeit der künstlerischen Erzeugnisse. Denn die großen Einzelnen hielten sich vielfach vom Kunstrummel fern.

Eine dieser gesellschaftlichen Erscheinungsformen der Kunstrevolution war das Kabarett. Dieses Wort stammt aus Frankreich und bedeutete ursprünglich «Wirtschaft», «Schenke». Hier sangen die Bänkelsänger zur Unterhaltung der Gäste und zeigten die Komödianten ihre Späße.

Mit der Entwicklung der bürgerlichen Gesellschaft im 19. Jahrhundert mußte sich auch das Kabarett als gesellschaftliche Institution verändern. Das erste moderne Kabarett eröffnete der Maler Rodolphe Salis am 18. November 1881. Sein «Chat noir» am Fuß des Montmartre war ein gesellschaftskritisches, antibürgerliches Forum, welches als Vorbild für alle weiteren Kabarette diente.

Die Begründer des deutschen Kabaretts waren Otto Julius Bierbaum und seine Freunde. Im Deutschland vor 1900 gab es neben dem Theater, das für die gebildete Schicht reserviert war, nur das anspruchslose, derbe Varieté, Tingeltangel oder Brettl. Bierbaum wollte Theater und Varieté miteinander verschmelzen und ein «Überbrettl» gründen. Der Name «Überbrettl» ist Nietzsches «Übermensch» nachgebildet[52]. Die Hauptfigur in Bierbaums Roman «Stilpe», der 1897 erschien, prophezeit: «Wir werden den Übermenschen auf dem Brettl gebären![53]» Im Vorwort zu den 1900 erschienenen «Deutschen Chansons» fordert Bierbaum eine Kunst, die nicht nur von wenigen Auserlesenen goûtiert wird, sondern das ganze Volk erfaßt: «Wir haben nun einmal die fixe Idee, es müßte jetzt das ganze Leben mit Kunst durchsetzt werden ... Angewandte Lyrik, – da haben sie unser Schlagwort [54].»

Obschon die «Deutschen Chansons» im Titel auf die frechen Verse der Pariser Poeten hinweisen, sind sie äußerst anspruchslos und zahm. Die im Vorwort entwickelten Gedanken stammen aus dem Umkreis des Jugendstils, der jeden menschlichen Lebensbereich künstlerisch gestalten wollte. Bierbaums Freund Ernst von Wolzogen plante denn auch, das erste Überbrettl in der Darmstädter Künstlerkolonie, im Zentrum des Jugendstils, zu gründen.

Im Januar 1901 eröffneten Wolzogen und Bierbaum in Berlin das «Bunte Theater». Die Première war ein Erfolg. Doch bald stellten sich Schwierigkeiten ein, die sich als unüberwindlich erwiesen. Dem Geschäftsführer mangelte jede organisatorische Begabung; auch die richtigen Darsteller fehlten; vor allem waren die vorgetragenen Texte zu biedermeierlich. Sie erfüllten die von Bierbaum aufgestellten Forderungen keineswegs. Die dritte Strophe seines Lieds «Der lustige Ehemann», das anfänglich ein Kassenschlager war, lautet:

> «Die Welt, die ist da draußen wo,
> Mag auf dem Kopf sie stehn!
> Sie int'ressiert uns gar nicht sehr,
> Und wenn sie nicht vorhanden wär',
> Würd's auch noch weitergehn.» [55]

Im August 1902 trat Wolzogen von der Leitung des «Bunten Theaters» zurück.

Im Gegensatz zu Berlin bestand in München um die Jahrhundertwende eine Künstlergruppe, die in frechen Satiren gegen das Bürgertum Front machte. Seit 1896 erschien die satirische Zeitschrift «Simplicissimus». Mitarbeiter waren unter anderen Frank Wedekind und Ludwig Thoma. Wedekind und der Herausgeber Albert Langen hatten die Pariser Bohème und ihre Kabarette kennengelernt. Ihr Plan, in München nach den Vorbildern auf dem Montmarte ein Kabarett zu eröffnen, fiel auf fruchtbaren Boden. Eine Menge gleichgesinnter Künstler erklärte sich zur Mitarbeit bereit, unter ihnen die aus Frankreich stammenden Marc Henry und Marya Delvard. Im April 1901 eröffnete Marc Henry in München das Kabarett der «Elf Scharfrichter». Das Programm hatte ein hohes literarisches Niveau. Nach französischem Vorbild galten die vorgetragenen Gedichte und Lieder vorwiegend den Armen, Verbrechern und Huren. Wenn es galt, die Regierung oder die Hüter der öffentlichen Moral zu kritisieren, nahmen die «Scharfrichter» kein Blatt vor den Mund. Deshalb strömte das Publikum in Scharen herbei, darunter allerdings auch Abgeordnete der staatlichen Zensur. Dieses Kabarett wurde 1904 vom neugegründeten «Simplicissimus» abgelöst.

In München zeigte sich, daß ein anspruchsvolles Kabarett in Deutschland sehr wohl möglich war, wenn einige qualifizierte Künstler zusammenarbeiteten. An dieser Bedingung scheiterten fast alle Kabarette, die seit 1901 haufenweise eröffnet wurden. Die meisten sind literaturhistorisch uninteressant. Ausnahmen bilden unter anderen Kurt Hillers «Neopathetisches Cabaret» und das «Cabaret Voltaire» der Dadaisten in Zürich.

Kurt Hiller, geboren 1885 in Berlin, spielte im Expressionismus eine hervorragende Rolle als Essayist, Organisator und Förderer junger Talente. Er studierte in Berlin die Rechte. 1909 trat er mit einer Gruppe Gleichgesinnter aus der Studentenverbindung «Freie Wissenschaftliche Vereinigung» aus und gründete den «Neuen Club». Mitglieder waren neben ihm Erwin Loewenson, Erich Unger, David Baumgardt, Ernst Blaß, Wilhelm Simon Ghuttmann und Jakob van Hoddis. 1910 kam als prominentes Mitglied noch Georg Heym dazu. Der «Neue Club» war eine Vereinigung junger, gescheiter Studenten, die über geistige Probleme nachdachten und die Welt auf dem Umweg über die menschlichen Vorstellungen verändern wollten. Eigentliche Dichter des Kreises waren Blaß, Heym und van Hoddis.

Nach einem Jahr der internen Diskussionen trat der «Neue Club» 1910 mit dem «Neopathetischen Cabaret» an die Öffentlichkeit. Das Wort «Neopathos» stammte von Loewenson. Versammlungslokal war das Nollendorf-Casino, später irgendein Café. Die Vorstellungen fanden wöchentlich am Mittwoch statt.

In seiner Eröffnungsrede erklärte Hiller Sinn und Zweck des Kabaretts: «Ein Litterat, der sich im Privatleben unlitterarisch benimmt, ist ein Schmierer; ein Psycholog, der es kindisch oder philiströs findet, abends im Caféhaus fanatisch zu psychologisieren, ist ein Krämer; ein Philosoph, der nach des Tages Last und Bücherwalz philosophische Gespräche als Fachsimpelei ablehnt, ist ein Schwein; glattweg ein übles Schwein und sollte gehenkt werden! Nur solche Gehirne sind anständig und zu billigen, in denen das Geistige unaufhörlich fluktuiert und nicht bei Sonnenuntergang (oder sonstwann) Feierabend macht. Das Geistige als eine Flamme, von der die Seele ständig geheizt ist; Problematik und die Erschütterungen der Formen nicht als Gewerbe, erst recht nicht als Amüsement, sondern als die Bedürfnisse jeder wachen Sekunde ...[56]» Bierbaum hatte zehn Jahre früher Ähnliches gefordert. Sein Schlagwort «angewandte Lyrik» meinte eine Kunst, die von jedermann, zu jeder Zeit und an jedem Ort aufgenommen werden kann. Dementsprechend war seine Kunst bloße Dekoration, da sie nur unterhalten, nicht verändern wollte.

Für Hiller war die Unterhaltung nicht Selbstzweck. Der Mensch sollte jeden Augenblick in intensiver Bewußtheit verleben: «Dies ist das Kennzeichen einer höher gestimmten Lebendigkeit und des neuen Pathos: das alleweil lodernde Erfülltsein von unserm geliebten Ideelichen, vom Willen zur Erkenntnis und zur Kunst und zu den sehr wundersamen Köstlichkeiten dazwischen. Das neue Pathos ist weiter nichts als: erhöhte psychische Temperatur [57].»

Bereits Bierbaum hatte sich auf Nietzsche berufen, indem er dessen verfänglichsten und schwierigsten Begriff übernahm. Die Benennung des kultivierten Tingeltangels als «Überbrettl» und die Prophezeihung seines Romanhelden Stilpe, er werde «den Übermenschen auf dem Brettl gebären», zeigen, wie wenig er dem großen Philosophen nahekam.

Im Gegensatz zu Bierbaum berief sich Hiller mit Recht auf Nietzsche: «Unser Begriff von Pathos dürfte eher übereinstimmen mit dem Begriff, den Friedrich Nietzsche davon hat ... Pathos: nicht als gemessener Gebärdengang leidender Prophetensöhne, sondern als universale Heiterkeit, als panisches Lachen [58].» Dieser Hinweis ist insofern falsch, als Nietzsche den Begriff «Pathos» im alten, überlieferten Sinn von «Feierlichkeit» gebraucht. Nur in der Verbindung mit dem Wort «Distanz» erhält bei ihm der Begriff als «Pathos der Distanz» eine eigene, neue Bedeutung. Hillers Berufung auf Nietzsche ist aber trotzdem berechtigt. Denn die «universale Heiterkeit» und das «panische Lachen» sind eindeutig aus Nietzsches Werk übernommen.

Seit dem «Zarathustra» sind «Heiterkeit» und «Lachen» Schlüsselwörter in Nietzsches Werk. Folgende Stelle aus dem «Willen zur Macht» genüge als Beispiel: «Vielleicht weiß ich am besten, warum der Mensch allein lacht: er allein leidet so tief, daß er das Lachen erfinden *mußte*. Das unglücklichste und melancholischste Tier ist, wie billig, das heiterste [59].»

Hiller kannte Nietzsche sehr genau. In seinen Aufsätzen zitierte er oft Sätze aus dessen Werk. Die meisten anderen Expressionisten kannten Nietzsche vor allem vom Hörensagen, von Diskussionen am Caféhaustisch. Ernst Blaß schreibt von der Athmosphäre im «Café des Westens»: «In der Luft lag vor allem van Gogh, Nietzsche, auch Freud, Wedekind [60].» Was in der Luft liegt muß man nicht mehr lesen. Die jungen Künstler entnahmen aus Nietzsches Werk vor allem die Lehre Zarathustras, weil sie ihnen nützlich war. Sie benutzten die Idee des Übermenschen, um ihren neuen, geistigen Menschen zu proklamieren. Es kam ihnen dabei nicht auf philologische Genauigkeit an. Die Idee des Übermenschen erscheint in der expressionistischen Dichtung meist popularisiert und vereinfacht. Das wird sich auch in den Gedichten van Hoddis' zeigen.

Hillers Ausführungen über das neue Pathos und sein Hinweis auf Nietzsche zeigen, daß das «Neopathetische Cabaret» kein gewöhnliches Kabarett, kein Überbrettl sein wollte. Sein Ziel war Unterhaltung, aber nicht mit anspruchslosen Zoten. Da «Philosophie nicht fachliche, sondern vitale Bedeutung hat», sollten «seriöseste Philosopheme zwischen Chansons und (zelebrale) Ulkigkeiten» [61] gestreut werden. Dieses kurz zitierte Programm bedingte ein intelligentes, geistig regsames Publikum. Die Zuhörer im «Nollendorf-Casino» waren in der Tat vor allem Künstler und Studenten.

Anfang 1911 kam es zu einer Spaltung des «Neopathetischen Cabarets». Ihr Urheber scheint van Hoddis gewesen zu sein. Der Vorgang ist kaum mehr zu erhellen. Hiller meint dazu lakonisch: «Nach zwei Jahren, aus teilweise geistigem Grund, verkrachte man sich: ich eilte, von Blaß begleitet, ins Freie ... und gründete das neue ‚Gnu‘ [62].» Offenbar ließen sich die Ansichten und Pläne Hillers mit denjenigen der meisten anderen Clubmitglieder nicht mehr vereinbaren. Hiller wandte sich immer mehr der aktiven Politik zu. Er wurde ein führender Vertreter des revolutionären Pazifismus. Seine Anschauungen brachten ihn unter Hitler in ein Konzentrationslager, aus dem er nach England entkommen konnte.

Die übrigen Mitglieder des «Neuen Clubs» waren dem rein Geistigen verhaftet. Auch sie wollten die Realität verändern, aber nicht mit aktiver Parteipolitik. Das «Neopathetische Cabaret» bestand noch bis zum Ausbruch des Ersten Weltkriegs, der auch das Erscheinen der Zeitschrift «Neopathos» verunmöglichte.

Die Spaltung des «Neuen Clubs» ist symptomatisch für den Expressionismus. Die Künstlergruppen, die sich um 1910 bildeten, wurden vor allem durch die Negation von Gleichem zusammengehalten. Über die konstruktive Arbeit herrschte vielfach Uneinigkeit.

b) Nietzsches Einfluß auf van Hoddis' Werk

Aus verschiedenen Zeugnissen geht hervor, daß van Hoddis der repräsentative Dichter des «Neuen Clubs» war. 1910 schrieb ein Dr. E. T. im «Demokrat», dem Vorläufer der «Aktion»: «Jakob van Hoddis führt einen neuen Ton in die Lyrik ein, den großen grausen Humor, etwas Teuflisches, Starkes, einfachste Gegenstände, alltägliche Vorgänge, aber in allem das Pathos eines Menschen, der Großes sieht [63].» Kurz vor 1913 erklärte Kurt Hiller in seinem Aufsatz «Gedichtschreiber», das «Ziel der Gedichtschreibung» sei «das pathetische Ausschöpfen dessen, was dem entwickelten Typus Mensch täglich begegnet» [64], und fuhr fort: «Diesem Ziel ... kam ... als erster Jakob van Hoddis nah, ein ohnmächtiges Genie, heute verschollen.» Jahrzehnte später führte er in einem Gespräch aus: «Der dichterisch stärkste Vertreter unserer Anschauungen war Jakob van Hoddis ... Auch als dieser Georg Heym nach seiner ersten Vorlesung in unserem Kreise 1910 nun auch begeistert aufgenommen und anerkannt wurde, blieb van Hoddis doch derjenige, dessen Gedichte einem Teil unseres Kreises den eigenen kunsttheoretischen Erkenntnissen, oder besser, Wunschvorstellungen adäquater schienen als Heyms Wucht der Phantasie [65].» Im Gegensatz zu Heyms Gedichten, deren Bilder nicht vom bewußten Intellekt bestimmt sind, verraten van Hoddis' Verse einen skeptischen, luziden Geist. Seine immerwährende Hellsichtigkeit entsprach Hillers Forderung nach einem «Gehirn», in dem «das Geistige unaufhörlich fluktuiert». Sie enthielt aber auch schon die Gefahr, der er später erlag. Seine übergroße Skepsis, seine Zerstörungswut gegen alle scheinbaren Wahrheiten verunmöglichte eine gesicherte geistige Existenz. Van Hoddis erkannte diese Problematik früh. Sein in früher Studentenzeit geschriebener Aufsatz «Von Mir und vom Ich» handelt davon. Er besteht aus einzelnen Aphorismen, die von der Einheit des Ich und von der Beziehung zwischen Denken und Sprechen handeln. Wegen der oft übertriebenen Kürze sind einzelne Stellen beinahe unverständlich. Das Motto stellt die paradoxe Situation des über sein Denken nachdenkenden Menschen dar:

> Seltsam, wie hier der Verstand
> An mir hämmert, an mir hirnert,
> Selbstsadistisch arrogant,
> Selbst den Stirner unterstirnert. *

Im Postskriptum schlagen sich das «Ur-Ich» und die «Ich-Idee» gegenseitig tot. Dieser humoristische Ausgang, der an die lustigen, harmlosen Verse Morgensterns erinnert, versucht den todernsten Inhalt des Aufsatzes zu überspielen. Ausgangspunkt ist Descartes' Axiom «cogito, ergo sum». Gleich anschließend verlegt van Hoddis das Gewicht vom «Sein» auf das «Ich», das er in Frage stellt. Bereits Nietzsche verwendet den Grundsatz des Cartesius dazu, die Einheit der Person, die «denkt» und «ist», anzuzweifeln. In der Aphorismensammlung «Erkenntnistheorie» aus der Zeit von 1881/82, die erstmals 1901 gedruckt wurde, verändert er den Satz in: «cogito, ergo est.» «Cogito» übersetzt er mit: «ich stelle vor.» Er fährt fort: «Daß *ich* dieses vorstellende Sein bin, daß Vorstellen eine *Tätigkeit des Ichs* ist, ist nicht mehr gewiß: ebensowenig alles, *was* ich vorstelle [66].» Nietzsche verneint an verschiedenen Stellen seines Werks die Einheit des Ich. In einem späteren Aphorismus steht der Satz: «Wenn ich Etwas von einer Einheit in mir habe, so liegt sie gewiß nicht in dem bewußten Ich und dem Fühlen, Wollen, Denken, sondern woanders: in der erhaltenden, aneignenden, ausscheidenden, überwachenden Klugheit meines ganzen Organismus, von dem mein bewußtes Ich nur ein Werkzeug ist [67].»

Diese Gedanken erscheinen etwas abgeändert bei van Hoddis wieder. Wie Nietzsche gesteht auch er eine mögliche Einheit des Ich zu. Wenn es sie überhaupt gibt, so liegt sie nicht im bewußten Ich, sondern im «Ur-Ich», wie er formuliert. Die Einheit des bewußten Ich ist eine bloße Idee. Der Dichter nennt sie die «Ich-Idee»:

«Ein anderes bin ich, der ich bin (Ur-Ich),
Ein anderes das Ich, das ich denke (Ich-Idee).

* Max Stirner war ein idealistischer Philosoph des 19. Jahrhunderts.

44

Oder: Das Ur-Ich = Postulat des Denkens.
Die Ich-Idee = Objekt des Denkens.»

Das Wesen des «Ur-Ich» ist dem menschlichen Verstand unzugänglich. Die Menschen behelfen sich mit einer «Ich-Idee», da sie ohne eine feste Vorstellung ihres Wesens nicht leben können: «Der ästhetische Ichthyosaurus sucht ein festes – also begreifliches Verhältnis zu seiner Ich-Idee. Er zieht sich Eigenschaften an. Die kann er sich merken. Da weiß er, was er an sich hat. Er wird zum Charakter, zur Persönlichkeit, zum Original.» In saloppen Sätzen macht sich der Dichter über die «Halbaffen der Ich-Idee» lustig. Ihm selber ist es unmöglich, eine feste «Ich-Idee» anzuerkennen: «Wir aber sind uns in jedem Augenblick ein Anderes, stets Unbegreifliches. Wir fühlen Uns, ohne Uns zu definieren ... Wir werden uns zum Dämon.»
    In diesen Sätzen nahm van Hoddis seine geistige Entwicklung voraus. Sein zerstörerisches, dämonisches Wesen ironisierte und verwarf jede stabilisierende Charaktereigenschaft und zerstörte zuletzt sein Bewußtsein. Es ist sehr einfach, ihn als schizophren zu bezeichnen. Damit ist aber nichts erklärt. Der Grund für sein fast zwangsläufiges Irrewerden lag in der Unmöglichkeit, eine «Ich-Idee» als gültige Erklärung seines Wesens anzuerkennen, im Willen, um keinen Preis eine Illusion als Wahrheit anzunehmen, kein «Halbaffe einer Idee» zu sein. Deshalb wurde ihm sein Dasein unbegreiflich. Von einer ungeheuerlichen Hybris zeugt der Schlußsatz seines Aufsatzes: «Es gibt kein höheres Dasein als das Unbegreifliche, und Homer ist sein Prophet.» Wie Loewenson erzählt, spielte der junge Dichter mit dem Gedanken, eine neue Odyssee zu schreiben [68]. Offenbar sah er in ihr das Werk, in dem sich das Unbegreifliche des Lebens im großartigen Mythus des herumirrenden Helden auflöst. Ihm selber war die mythische Welt von vornherein verschlossen, da sein dichterisches Vermögen dem Subjektiven verhaftet blieb.
    Der Aufsatz «Von Mir und vom Ich» macht auch van Hoddis' Versuch verständlich, ein gläubiger Katholik zu werden. Denn der christliche Glaube hätte das Unbegreifliche des Daseins aufgelöst. Sein «Dämon» trieb ihn aber auch über die religiöse Position hinaus.
    Nietzsche beeinflußte den jungen van Hoddis nicht nur in seinem theoretischen Denken, sondern auch in seiner Lyrik. Einzelne seiner Verse klingen unmittelbar an Formulierungen des großen Philosophen an. Im Gedicht «Sonja» brüllt «der Sonnenlöwe» den jungen Dichter an, der sich eben Liebesfreuden hingeben will: «Wach auf in deine Einsamkeiten!» Nietzsche nannte sein Werk «Also sprach Zarathustra» einen «Dithyrambus auf die Einsamkeit» [69]. «Einsamkeit» ist ein Grundwort dieses Werks. Der Aphorismus «Von den Fliegen des Marktes» beginnt mit der Aufforderung: «Fliehe, mein Freund, in deine Einsamkeit! [70]» Ein anderer Aphorismus heißt «Die stillste Stunde» [71]. Sie gibt Zarathustra den Auftrag, noch einmal in die Ein-

samkeit zu gehen. Sie redet auch zu van Hoddis im vierten Gedicht des Zyklus «Italien»: «So sprach zu mir die allerstillste Stunde.» In seiner «Trilogie der Leidenschaftslosen», deren Titel Goethes «Trilogie der Leidenschaften» parodiert, ruft ein Affe, der Dorfschulze in einem Affendorf ist, seine Mitaffen zum Lachen auf: «Auf, meine Herren! seien wir ehrlich und lachen wir von heute ab – ohne Gründe.» Bereits bei Hillers Forderung nach «universaler Heiterkeit», nach «panischem Lachen» wurde die Beziehung zu Nietzsche klar. Im Gedicht «Umschwung», das um 1908 entstand, ist Nietzsche namentlich erwähnt. Die dritte Strophe lautet:

> «Nietzsche werde überwunden,
> Wir beginnen auszumisten
> Aus der Welt die ungesunden
> Schrankenlosen Egoisten.»

In ironischer Umkehrung rechtfertigt sich van Hoddis vor seinen «Tanten», die ihm vorwerfen, «zu den Ungerechten» zu zählen. Er gibt vor, den «großen Schlechten» – gemeint ist vor allem Nietzsche – abzuschwören und sich wieder der christlich-bürgerlichen Moral zu unterwerfen. Indem er diese aber mit den Worten Nietzsches charakterisiert, nämlich als wollüstiges Ausbaden des Mitleids, stempelt er seine «Tanten» zu verlogenen Hüterinnen einer falschen Moral.

Von allen Büchern Nietzsches hatte «Also sprach Zarathustra» die größte Wirkung. Dieses Werk wurde auch wie kein anderes mißverstanden. Die junge Dichtergeneration nach 1900 sah im «Übermenschen» ihr eigenes Menschenbild vorweggenommen. Sie übersah, daß dieser Begriff von Nietzsche als bloße Idee, als nie zu erreichender Vorwurf gemeint war.

Auch van Hoddis behandelte in seinen Gedichten von 1909–11 vorwiegend das Thema des geistigen Abenteurers, des großen Einsamen, des «Übermenschen». Mit fanatischer Strenge unternahm er es, dem «übermenschlichen» Vorbild nachzuleben. In seinen Gedichten zeigt sich die Unmöglichkeit, das angestrebte Ziel zu erreichen. Das erste dieser Gedichte trägt bezeichnenderweise den Titel «Der Abenteurer»:

Der Abenteurer

Der Gäa und der Baale greises Haupt
Erhob sich neu im Prunk der hellsten Tage.
Oliven reiften ihm im dunklen Laub
Vier starke Pferde zogen schwere Wagen
Grellgelber Ähren in das Haus von Stein.

Er aber wollte ungemeßne Pein
Der Lust vermählen. Dort in breiten Städten.
Zu Winterstürmen, die von Lichtern gleißend
Den frohen Lärm von allen Straßen jagen.

Zu Zweifeln, die wie Frühlingsstürme reißend,
Die Brunst durch schlaffe schwere Jahre tragen.

Und jeder Tag ist reif zu Erntetagen.

Die kompakte Wucht der Blankverse täuscht vorerst Klarheit der Aussage
vor. Aber gerade der letzte Vers, der als fünfter im schweren, ruhigen Reim
«agen» ausklingt und die Quintessenz des Gedichts auszudrücken scheint, ist
sehr schwer verständlich. Ein Tag kann im allgemeinen nicht reif zu «Tagen»
sein. Der Leser erfährt auch nicht, wer der Abenteurer ist. Ist es eine Gestalt
aus der antiken Mythologie, ist es der Dichter selbst?

Die geschlossene, ehern geprägte äußere Form hält eine kaum faßbare
Aussage zusammen. Die erste Strophe rollt eine antik anmutende, südlän-
dische Landschaft auf. Die Göttin der Erde und die semitischen Fruchtbar-
keitsgötter erheben aufs neue ihre Häupter. Sie verklären die Gegenwart. Die
Natur schenkt dem Abenteurer, der im Gedicht nur in pronominaler Form
erscheint, reichlich ihre Gaben. Im «dunklen Laub» reifen ihm Oliven, seine
Pferde sind «stark», die Ähren «grellgelb», also reif, der Wagen ist «schwer»,
das Haus nicht aus Holz, sondern «aus Stein».

Dieser Herrlichkeit entsagt er in der zweiten Strophe. In ihr verändert sich
die Szenerie zur modernen Großstadt. Der Abenteurer will sich nicht abfin-
den mit einem ruhigen Leben als Bauer. Er will «die Pein der Lust vermählen. Dort in breiten Städten». Auch in der Stadt ist Ernte möglich, auch hier
ist jeder Tag «reif zu Erntetagen». Welcher Art diese «Erntetage» sind, was
da geerntet werden soll, verschweigt das Gedicht.

Mit den «breiten Städten», durch die der «von Lichtern gleißende» Sturm
fährt, sind die modernen Großstädte, ist insbesondere Berlin gemeint. In ihr
will sich der Abenteurer den «Stürmen» und den «Zweifeln» hingeben.

Der Anfang der zweiten Strophe erinnert an das Gedicht «Perseus», dessen
zwei letzte Verse lauten:

«Bei jedem Mahle wo die Gier ich letze
Da fleht die Gier nach Deinem Todesgrauen.»

Auch Perseus will die «ungemeßne Pein der Lust vermählen». In jenem
Gedicht stellt van Hoddis sein unstillbares Verlangen nach dem Unbekannten dar. Das gleiche Thema behandelt «Der Abenteurer». Auch in diesem
Gedicht stellt sich der Dichter selbst dar, er selbst ist der Abenteurer. Wie
ihn in «Perseus» die Liebe Andromedas nicht zufriedenstellt, befriedigt ihn
im «Abenteurer» das einfache Leben eines Bauern, welches das problemlose,
geruhsame Leben schlechthin versinnbildlicht, nicht. Wie er dort den tod-
bringenden Blick auf das Medusenhaupt sucht, will er sich hier den Stürmen
und Zweifeln der Großstadt hingeben. Die beiden Gedichte beruhen auf der
gleichen Antithese.

47

Das zweite zeigt einen wesentlichen künstlerischen Fortschritt: nur noch die erste Hälfte spielt im Raum der antiken Mythologie. In der zweiten Hälfte gelingt es dem Dichter, den Schauplatz in seinen eigenen Lebensraum, in die moderne Großstadt Berlin, zu verlegen.

Der Optimismus des Schlußverses überrascht. Denn die «schlaffen schweren» Jahre in der Stadt verheißen eher einen sinnlosen Tod als reife «Erntetage». Die ausweichende, allgemeine Form der Aussage verrät denn auch die Unsicherheit des Dichters. In seinen folgenden Gedichten über das gleiche Thema weicht der Optimismus immer mehr einer tödlichen Verzweiflung.

Das Gedicht «Der Denker», von dem bereits die Rede war, verzichtet auf die antithetische Darstellung zweier Lebensmöglichkeiten. Der Dichter hat sich für das «übermenschliche» Vorwärtsdrängen in neue Erlebnisbereiche entschieden:

Der Denker

Zu den breiten ungestalten
Tiefen stieg er froh hernieder.
Ströme aber lähmten seine Glieder.
Ratlos kreisten eiserne Gewalten.

Und er rang und immer wieder.

Ihn hieß ein Traum in wilden Felsenspalten
Gold und verderbter Götter Blut erbeuten
Und ihrer Leiber brenne Sinnlichkeiten.

Er bäumte auf, und alle Räume hallten.

Das Gedicht könnte auch «Der Abenteurer» heißen, die Titel der beiden Gedichte sind austauschbar. Auch der Denker erscheint im Gedicht nur in pronominaler Form, auch in ihm stellt sich der Dichter selber dar. Thematisch ist «Der Denker» eine Vertiefung und Erweiterung der zweiten Strophe des «Abenteurers». Ort der Handlung ist weder die moderne Großstadt noch der Raum der antiken Mythologie. Die Tiefen, in die der Denker hinabsteigt, die Ströme, die ihn lähmen, die kreisenden Gewalten sind Bilder, die im Dichter selbst beheimatet sind. In diesem Gedicht versucht van Hoddis, sein tiefstes Erlebnis zu gestalten.

Es besteht aus vier- und fünfhebigen Versen. Die zwei Vierheber am Anfang und der ebenfalls vierhebige Mittelvers handeln vom freudigen Einsteigen ins Abenteuer, vom kühnen Ringen. Der Hinabsteigende ist «froh». Woher ihm die Freude zukommt, wird verschwiegen. Sie hat ihren Grund in der endlich erreichten Bereitschaft, das gefährliche Abenteuer zu versuchen. Die Vorbehaltlosigkeit, mit der er sich dem Kommenden aussetzt, stimmt ihn freudig.

Die folgenden, fünfhebigen Verse verlangsamen den hoffnungsfreudigen Rhythmus der Anfangs- und Aufbruchsverse. Sie beschreiben die tödlichen

Gefahren, die den Hinabsteigenden bedrohen. Er ist den Mächten, in deren Gewalt er sich begibt, nicht gewachsen. Sie sind ihrem Wesen nach unmenschlich. Deshalb kann sie der Dichter auch nicht präzis umreißen. Er nennt sie im unbestimmten Plural «Ströme», «Gewalten». Es bleibt unklar, was für Ströme hier fließen. Denn sie ertränken den Menschen nicht, sondern «lähmen» ihn. Diese Wirkung hat auch der elektrische Strom. Die Lähmung ist die unmenschlichste Zerstörung des Menschen, denn er hat keine Abwehrchancen. Er muß mit intaktem Verstand seiner eigenen Vernichtung zusehen. Die «Gewalten» sind dem Eindringling nicht feindlich gesinnt, sondern nehmen überhaupt keine Notiz von ihm. Die Richtung ihrer Bewegungen ist nicht bestimmt und sinnlos, sie «kreisen ratlos». Aber sie drohen ihn unnachgiebig, «eisern» zu zerquetschen. Die großartigen Bilder, in denen van Hoddis das Geschehen schildert, sind durchaus neuartig. Sie lassen sich kaum auflösen und in keinem allgemein bekannten Raum ansiedeln. Am ehesten lassen sie sich zur modernen Maschinenwelt in Beziehung bringen. Die Maschine ist ihrem Wesen nach unmenschlich. Die Szene in Fritz Langs Film «Metropolis», in der sich eine riesige Maschine plötzlich in einen menschenfressenden Moloch verwandelt, ließe sich mit den Bildern van Hoddis' vergleichen.

Die vier Blankverse des zweiten Teils unterbrechen mit ihrem Auftakt den vorwärtsdrängenden, wuchtigen Rhythmus der Eingangsverse. Die zweite, dreizeilige Strophe blendet zurück: «ein Traum» verführte den Dichter. Er gaukelte romantische «Felsenspalten» mit allerlei märchenhaften Schätzen vor. Die Realität, die «lähmenden Ströme» und «kreisenden Gewalten», entlarvt diesen verführerischen Traum als Produkt einer lügenhaften, verschrobenen Phantasie. Im letzten Vers stellt sich der Dichter den ihn erdrückenden Gewalten entgegen. Sein «Aufbäumen» verrät, daß es sich um eine aussichtslose, letzte Anstrengung vor dem Zusammenbruch handelt. Aber sie hat erstaunlicherweise Resonanz: «alle Räume» – wieder der unbestimmte Plural – «hallen.» Vor seinem Untergang bringt der Dichter die ihn zerstörenden Mächte zum Tönen.

Vielleicht spricht van Hoddis in diesem Gedicht von seinem eigenen Dichtertum. Seine spätere Lyrik kann verstanden werden als das letzte Aufleuchten einer geistigen Welt, in die sich der suchende Dichter begibt und die ihn gleich darauf vernichtet. Der Schlußvers des «Denkers» bejaht noch einmal das große Wagnis, obschon es tödlich ausgeht. Die Vernichtung des Dichters wird wettgemacht durch seine Wirkung: er bringt die Räume zum Hallen.

Im gleich anschließend entstandenen Gedicht «Die Stadt» spricht der Dichter in der ersten Person, also unmittelbar von sich selbst:

Ich sah den Mond und des Ägäischen
Grausamen Meeres tausendfachen Pomp.
All meine Pfade rangen mit der Nacht.

Doch sieben Fackeln waren mein Geleit
Durch Wolken glühend jedem Sieg bereit.

«Darf ich dem Nichts erliegen darf mich quälen
Der Städte weiten Städte böser Wind?
Da ich zerbrach den öden Tag des Lebens!»

Verschollene Fahrten! Eure Siege sind
Zu lange schon verflackt. Ah! helle Flöten
Und Geigen tönen meinem Gram vergebens.

Die ersten zwei Verse greifen wieder auf den Raum der antiken Mythologie zurück. Van Hoddis war nie in Griechenland. Er identifiziert sich hier wahrscheinlich mit dem herumirrenden Dulder Odysseus. Der antike Held hatte Athene als Schutzgöttin, van Hoddis behüten die sieben Fackeln des heiligen Leuchters in Jerusalem. Diese Aussage ist nicht sehr überzeugend. Sie wird denn auch durch die zwei letzten Strophen verneint: die «sieben Fackeln» konnten den Dichter nicht vor Unglück und Verzweiflung retten. Es ist das einzige Mal, daß van Hoddis in seiner Lyrik auf seine jüdische Abstammung Bezug nimmt.

Das Thema dieses Gedichts ist nicht mehr das geistige Vorwärtsdrängen zum Übermenschentum, sondern der erreichte Endpunkt: der Dichter ist gescheitert. Diese Feststellung erscheint zwar noch als Frage: «Darf ich dem Nichts erliegen ...?» Aber die drei letzten Verse sprechen deutlich aus, daß das geistige Abenteuer, das Hinabsteigen in unbekannte Tiefen, wie es das Gedicht «Der Denker» darstellt, zu Ende ist. Der Dichter ist zum «Nichts» vorgestoßen. Die «Winter- und Frühlingsstürme», die er sich im «Abenteurer» herbeisehnte, sind zum «bösen Wind» geworden, die ihn «quälen». Der Schluß des Gedichts fällt ab. Der Dichter hat die großartigen Bilder noch nicht zur Verfügung, mit denen er später sein Scheitern gestaltet. Er verwendet noch den alten Topos der Musik, die ihn nicht aufheitern kann.

Auch äußerlich hat das Gedicht nicht die gleich geschlossene Form wie die zwei vorher behandelten. Die Verse sind nur teilweise gereimt; die Bilder stammen aus verschiedenen Bereichen und bilden keine Einheit; der Titel ist willkürlich hingesetzt. Trotzdem ist das Gedicht sehr interessant. Es zeigt, wie früh van Hoddis sich über den negativen Ausgang seines geistigen Unternehmens im klaren war.

Die drei eben besprochenen Gedichte bilden eine Trilogie. «Der Abenteurer» behandelt den freudigen Aufbruch, im «Denker» wird deutlich, daß das Unterfangen die menschlichen Fähigkeiten übersteigt, «Die Stadt» zeigt die Verzweiflung des gescheiterten Abenteurers.

Einige später entstandene Gedichte gehören zum gleichen Themenkreis. Sie handeln meist nicht mehr vom freudigen Aufbruch, sondern von der tiefen Resignation und Verzweiflung des Dichters. In den meisten dieser Gedichte taucht in irgendeiner Form das Motiv der Stadt auf. Sie werden deshalb im nächsten Kapitel behandelt. Um die Bedeutung der Stadt in diesem Themenkreis einigermaßen zu erhellen, sei kurz folgendes titelloses Gedicht interpretiert:

> Aus blauen Wunden glomm die müde Nacht.
> Und alle Straßen lagen ohne Scham.
> Und alle Fahnen schrien in den Wind.
> So geht ein Tag zur Neige.
>
> Der glühte so, daß ich die Büßereide
> verschmähte und der Engel starre Glut.
> Zu süß war diese Qual. Dem letzten Leide
> Entgegen trieb mich weißer Sonnen Wut.
> Und ich zerbrach die Tempel der Entsagung.
>
> Ist dies der Tod? Antworte, müde Pracht.
> Oder werde ich aus Deinen Tiefen
> Zu nie gekannten lichten Städten steigen
> Und jedem Tage seine Donner zeigen?

Ähnlich wie das Gedicht «Die Stadt» bildet auch dieses keine formale Einheit. Die Verse sind nur teilweise gereimt. Der innere Aufbau fällt auseinander. Das Gedicht ist eine Vorstufe zu den späteren großen Stadtgedichten. Die erste Strophe stellt eine abendliche Stadtimpression dar. Die zweite beschreibt, wie der Dichter der Verlockung der «süßen Qual» erliegt und «die Tempel der Entsagung» zerbricht. Diese Gedanken sind uns schon vom «Abenteurer» und von der «Stadt» her bekannt. Auch dieses Gedicht hat das geistige Vorwärtsdrängen zum Thema. Es ist schwierig, brauchbare Begriffe für diesen Vorgang zu finden.

Nietzsche umreißt die einzelnen Wegstationen und den Endpunkt Zarathustras begrifflich nicht genau, sondern faßt sie in faszinierende, kaum deutbare Bilder. Der Begriff «Übermensch» ist nicht genau zu bestimmen. Die Hauptlehre seiner Buches ist die Aufforderung zur Bewegung, zum Vorwärtsdrängen auf etwas begrifflich nicht Definierbares hin. Der Weg ist wichtiger als das Ziel.

Rimbaud gibt in seinen beiden Voyant-Briefen aus dem Jahr 1871 als Ziel seines geistigen Wegs «das Unbekannte» an: «Es geht darum, durch die Entregelung aller Sinne beim Unbekannten anzukommen[72].» Der Dichter «kommt an beim Unbekannten, und wenn er, überwältigt, daran endete, daß er das Verständnis seiner Gesichte (‚visions‘) verliert, so hat er sie doch gesehen»[73]. Auch Rimbaud kann das Ziel nicht bestimmen. Es ist für ihn unwesentlich, auch ihm ist der Weg wichtiger. Wer ihn begeht, sieht

Visionen, die den möglichen Untergang bei weitem wettmachen. Die gleiche Aussage enthält van Hoddis' Gedicht «Der Denker».

Hugo Friedrich bezeichnet in seinem Buch «Die Struktur der modernen Lyrik» als deren durchgehendes Merkmal das Streben nach der «leeren Idealität», nach der «leeren Transzendenz». «Das Ziel des Aufstiegs ist nicht nur fern, sondern leer, eine inhaltlose Idealität. Sie ist ein bloßer Spannungspol, hyperbolisch angestrebt, aber nicht betreten [74].» Auch er bezeichnet den wesentlichen Vorgang mit Behelfswörtern wie «der Aufstieg». Die «leere Idealität» hat aber, trotz ihrer Unbestimmbarkeit und Unerreichbarkeit, eine wichtige Wirkung: sie schlägt zurück auf die Realität und verändert sie. Die Realität ist nicht mehr das Maß aller Dinge, sondern hat vorläufigen Charakter. Der Künstler kann sie beliebig verändern und in Versatzstücke aufteilen. Er lebt im Spannungsfeld von «leerer Transzendenz» und entwerteter Realität. Aus dieser Situation entsteht eine neuartige, dunkle, abstrahierende Kunst, zu der auch das Werk van Hoddis' gehört. Seine reifen Gedichte versuchen, den «Aufstieg zur leeren Transzendenz», zum «Unbekannten» Rimbauds bildlich zu fassen und so dem angestrebten Ziel möglichst nahe zu kommen. Einigemale nennt er die tatsächliche Endstation, bezeichnenderweise aber nur in der unsicheren Frageform:

«Darf ich dem Nichts erliegen ... ?'
«Ist dies der Tod ... ?»

Das Nichts und der Tod sind die negativsten Begriffe, die es gibt. Sie verneinen ausschließlich, gleich wie «das Unbekannte» Rimbauds. Dem absolut verneinenden Begriff «Tod» stellt van Hoddis gleich anschließend ein hoffnungsfreudiges Bild entgegen:

«Oder werde ich aus Deinen Tiefen
Zu nie gekannten lichten Städten steigen ... ?»

Die «Tiefen», in die er im Gedicht «Der Denker» hinabsteigt, sind hier als «der Tod» bezeichnet. Der Dichter gibt sich aber noch nicht geschlagen, sondern versucht wieder emporzusteigen zu «nie gekannten lichten Städten». Die Formulierung «nie gekannt» erinnert an Rimbauds «das Unbekannte». Durch das «nie» verneint sich die Frage bereits in ihrer Formulierung: der Dichter wird die «lichten Städte» nicht erreichen. Trotzdem spielen sie eine wichtige Rolle. Gleich wie das himmlische Jerusalem sind sie der Ort der Erfüllung, nach dem er sich ausrichtet. Die unbestimmbaren «lichten Städte» ermöglichen es ihm, die Realität als vorläufig abzulehnen. Sie bilden den Bezugspunkt, an dem er die moderne Großstadt messen kann. So wird Berlin zur Stadt des Grauens:

«Weh mir, dem Gott die nackten Sonnen wies
Und fahler Höllenstädte grelles Leid.» [75]

Die Stadt steht für die Realität schlechthin. Mit diesem Motiv gestaltet van Hoddis sein Hauptthema. Versunkene, unwirkliche Städte wie Palmyra und Karthago erstehen in seinen Gedichten zu neuem, phantastischem Glanz. Diese Entwicklung wird im nächsten Hauptabschnitt zu zeigen sein.

Neben diesen ernsten, problematischen Gedichten schrieb van Hoddis in allen Phasen seines dichterischen Schaffens humoristische, leichte Lyrik. Ihre Bedeutung ist je nach der Entstehungszeit verschieden. Der derbe, volkstümliche Witz des «Varieté»-Zyklus unterscheidet sich grundsätzlich vom grotesken Humor der Gedichte nach 1912. Von jenen Gedichten, die nach dem mißlungenen religiösen Experiment entstanden, wird erst im letzten Kapitel zu reden sein.

Hiller hatte in seiner Eröffnungsrede zum «Neopathetischen Cabaret» dazu aufgefordert, neben «seriösesten Philosophemen» «zerebrale Ulkigkeiten» zum besten zu geben. Dieser Forderung genügte van Hoddis mit seinem Zyklus «Varieté». Loewenson warf ihm vor, dieser sei «eine Verflachung ins Billig-Satirische». Er erhielt zur Antwort: «Ich kann mir das leisten.» Dann: «Ich bin doch berühmt als der Dichter des ‚Varietés‘[67].» Offensichtlich ärgerte er sich über den Vorwurf, dem er im Grund zustimmte. Trotzdem ist der Einwand Loewensons fehl am Platz. Denn der Zyklus will keine tiefgründige Lyrik sein, sondern fröhliche Zuhörer unbeschwert unterhalten. Er diente als heitere Einlage in das geistig anstrengende Kabarettprogramm und hatte offenbar durchschlagenden Erfolg. Virtuosenstücke schrieb van Hoddis sonst keine, weil er nur dichtete, «wenn ihn eine seitliche oder völlige Umwendung seiner Ichhaltung dazu» zwang[77]. So gesehen stellen die zehn Gedichte einen Glücksfall dar. Die Gefahren, die den Geist des Dichters unablässig bedrohten, ließen ein unbeschwertes, virtuoses Dichten sonst nicht zu.

Für die Entwicklung innerhalb dieser Gesamtdarstellung ist der Zyklus unwesentlich. Trotzdem rechtfertigt sich ein kurzer Blick auf ihn; denn erstens gibt er Aufschluß über das Neopathetische Kabarett, zweitens ist seine satirische Technik mustergültig. Der zweite Punkt ist wohl der Grund, weshalb ihn H. M. Enzensberger in seine repräsentative Anthologie «Museum der modernen Poesie» aufnahm.

Die zehn Gedichte behandeln je eine Szene aus einer Varietévorstellung. Der Versuch von 1900, diese volkstümliche Institution zu verbessern und auf ein höheres Niveau zu heben, war gänzlich mißlungen. 1911 schrieb Franz Pfemfert in seiner «Aktion»: «Das Überbrettl ist tot: das Varieté lebt und gedeiht[78].» Heinrich Mann zeichnete in seinem Roman «Professor Unrat» mit satirischer Schärfe ein faszinierendes Bild des Varietés, das die unternehmungslustigen Spießbürger in Scharen bevölkern. Auch ihn faszinierte, trotz aller Ironie, die doppelgesichtige, überschminkte Welt der Tänzerinnen und Zauberkünstler. Das «Neopathetische Cabaret» hatte mit einem Varieté wenig gemeinsam. Seine Vorstellungen waren nichts anderes als Dichterlesungen. Es ist nicht ohne Ironie, daß sich die hochgeistigen Zuhörer an einer lyrischen Darstellung der derben Varietéatmosphäre belustigten. Das Varieté entsprach offenbar einem festen, bleibenden Bedürfnis der Gesellschaft, ähnlich wie heute das Kino. Ein Kabarett mit hohem künstlerischen Anspruch konnte sich nicht lange halten. Der Plan, ein breites Publikum mit problematischer, zeitgenössischer Lyrik zu unterhalten, schlug fehl. Gedichte über die bekannten Repertoirespäße des Varietés hatten mehr Erfolg.

Der Zyklus erschien am 21. Januar 1911 im «Sturm». Jedes Gedicht ist einer bestimmten Varieténummer gewidmet. Mit lächelnder Ironie macht sich van Hoddis über die einzelnen Figuren und vor allem über das staunende Publikum lustig. Das erste Gedicht, dem in der «Sturm»-Version eine zweite Strophe angehängt ist, schildert die Stimmung im Zuschauerraum:

1. Loge

Ein Walzer rumpelt; geile Geigen kreischen;
Die Luft ist weiß vom Dunst der Zigaretten;
Es riecht nach Moschus, Schminke, Wein, nach fetten
Indianern und entblößten Weiberfleischen.

Die satirische Technik liegt einerseits im übertriebenen Realismus, anderseits in der Verwendung von Wörtern aus verschiedenen Bereichen. Der Walzer, der Tanz der altwienerischen, kultivierten Gesellschaft, «rumpelt». Dieses Verb bezeichnet ein ungeregeltes, hölzernes Lärmen. Die Eigenschaft der Zuschauer ist auf ein Musikinstrument übertragen, die Geigen sind «geil». Ihr «Kreischen» steht eher einer alten, rostigen Säge zu als der im allgemeinen süß weinenden Violine. Auch Heinrich Mann überträgt in seinem bereits erwähnten Roman menschliche Eigenschaften auf Musikinstrumente: «Das Klavier hatte angefangen, Tränen zu vergießen. Im Diskant war es feucht vom Schluchzen, im Baß schnupfte es sich aus[79].» Der Zigarettenrauch, der in der Luft hängt, erweckt den Eindruck, die Luft sei weiß. Van Hoddis kürzt ab: «Die Luft ist weiß.» Der schweißige Turnhallengeruch wird übertrieben präzis als Geruch von «fetten Indianern und entblößten Weiberfleischen» charakterisiert. Der Plural, besonders der grammatisch ungewohnte von «Weiberfleisch», läßt die Menschenmenge als anonyme, tierische Masse erscheinen. Auch diese Darstellungstechnik erscheint bereits im «Professor Unrat»: «Unrat sah ganze Reihen von aufgerissenen Mündern, schwarz, mit ein paar gelben Hauern aus Lücken hervor oder mit Halbmonden weißen Beins von einem Ohr zum andern, mit kranzförmigen Schifferbärten unter dem Kinn oder hinaufgebundenen Borsten auf der Oberlippe[80].» Beide Dichter entlarven in satirischer Weise das Varietépublikum und damit das Bürgertum als tierische Masse, die sich von faulen Zaubertricks einer verlogenen Maskenwelt faszinieren läßt. Das neunte

Gedicht ist dem Kinematographen gewidmet. Die letzte Strophe hat an
Aktualität nichts eingebüßt:

«Und in den dunklen Raum – mir ins Gesicht –
Flirrt das hinein, entsetzlich! nach der Reihe!
Die Bogenlampe zischt zum Schluß nach Licht –
Wir schieben geil und gähnend uns ins Freie.»

Drittes Kapitel

DAS MOTIV DER GROSSTADT UND DER ZUSAMMENBRUCH DER ÄUSSEREN REALITÄT

a) Die Wirkung der Futuristen auf den Expressionismus

Van Hoddis gilt allgemein als Vertreter der Großstadt- oder Asphaltliteratur. In der Tat erscheinen in seinen Gedichten oft Motive aus dem Bereich der Stadt. Wie die meisten Expressionisten verbrachte er den größten Teil seiner dichterisch produktiven Zeit in Großstädten, vorwiegend in Berlin. Er war Berliner und sprach Berliner Dialekt. Ludwig Meidner beschreibt in seinen «Erinnerungen an Jakob van Hoddis» ihre gemeinsamen Spaziergänge durch das nächtliche Berlin: «Diese Weltstadt Berlin war damals das große Erlebnis, und nicht nur für mich, den geborenen Kleinstädter, sondern auch für van Hoddis, der Berliner war [81].»

Mit diesen Feststellungen ist noch nichts erklärt. Viele Künstler jener Zeit waren von der modernen Großstadt fasziniert. Ernst Stadlers lyrische Schilderung einer «Fahrt über die Kölner Rheinbrücke bei Nacht», Heyms Gedicht «Die Dämonen der Städte» und Döblins Roman «Berlin Alexanderplatz» sind bekannte Beispiele dafür. Im Gegensatz zu den neuromantischen Dichtern, die ihr Leben mit Vorliebe in Barockschlössern und schattigen Pärken verbrachten, lebten die Vertreter der fortgeschrittenen Kunst vorwiegend in den großen Städten, die durch die Industrialisierung ein neues Aussehen erhalten hatten. Rußige Züge donnerten durch die Vororte, Kamine rauchten, in den Straßen drängten sich die Arbeitermassen. Elektrische Glühbirnen lösten die Gaslaternen ab, die ersten Autos hupten, das Kino verdrängte das Varieté. Diese Veränderungen wurden von der jungen Generation größtenteils enthusiastisch begrüßt. Sie bejahte die moderne Realität und fand in ihr neuartige Motive. Die aufkommende Technik wurde in allen Variationen besungen. Am konsequentesten geschah das in Italien. Die alten Städte Venedig, Florenz, Rom usw. waren zu Museen geworden, Akademien und Bildergalerien erstickten den Tatendrang der jungen Künstler. Sie wehrten sich gegen die Bevormundung durch die Vergangenheit. Ihr Führer war Filippo Tommaso Marinetti. Am 20. Februar 1909 veröffentlichte er im «Figaro» sein erstes «Manifest des Futurismus» [82] und begründete damit diese Bewegung. In elf Punkten forderte er, die Dichtung müsse fortan «die Liebe zur Gefahr», «die Empörung», «die Ohrfeige», «die Schönheit der Schnelligkeit», «den Kampf» und «den Krieg preisen, – diese einzige Hygiene der Welt». Museen und Bibliotheken sollten zerstört werden. Der elfte Punkt lautet: «Wir werden die arbeitbewegten Mengen, das Vergnügen, die Empörung singen, die vielfarbigen, die vieltönigen Brandungen der Revolution in den modernen Hauptstädten; die nächtliche Vibration der Arsenale und Zimmerplätze unter ihren heftigen, elektrischen Monden; die gefräßigen Bahnhöfe voller rauchenden Schlangen; die durch ihre Rauchfäden an die Wolken gehängten Fabriken; die gymnastisch hüpfenden Brücken über der Messerschmiede der sonndurchflimmernden Flüsse; die abenteuerlichen Dampfer, die den Horizont wittern; die breitbrüstigen Lokomotiven, die auf den Schienen stampfen wie riesige, mit langen Röhren gezügelte Stahlrosse, und den gleitenden Flug der Aeroplane, deren Schraube knattert wie eine im Winde wehende Flagge und die klatscht wie eine beifallstobende Menge [83].»

Dieses Programm enthält schon die ganze spätere Entwicklung des literarischen Futurismus. Aus der Liebe zur Gefahr, zur Ohrfeige und zum Krieg wurde später Begeisterung für Mussolini. Marinetti war im Ersten Weltkrieg begeisterter Offizier. 1919 trat er in die faschistische Partei ein. Gottfried Benn bezeugte ihm 1934 in seiner «Rede auf Marinetti»: Wir haben von hier aus verfolgt, wie Ihr Futurismus den Faschismus miterschuf [84].»

Vor allem der elfte Punkt hatte in ganz Europa eine ungeheure Wirkung. Er eröffnete der jungen Künstlergeneration mit einem Schlag ein neues, großes Stoffgebiet. Die moderne Realität der Technik wurde zum einzigen Maßstab für die neue Kunst. Das «Technische Manifest der Futuristischen Literatur» [85], das elf genaue Angaben enthält, wie man Gedichte machen soll, wurde Marinetti nach seinen Worten vom surrenden Propeller eines Flugzeugs diktiert. «Warum soll man sich noch der verzweifelt dahinrasenden Räder bedienen, jetzt, da man sich vom Boden trennen kann! Befreiung des Wortes, schweifende Flügel der Einbildung, analogische Synthese: die Erde, mit einem einzigen Blick umfaßt, mit einem einzigen, wesentlichen Worte gestaltet [86].» Adjektiv und Adverb sollen eliminiert, das Verb nur im Infinitiv gebraucht werden; Substantive sollen freie Assoziationsreihen bilden; das «Ich» soll aus der Lyrik verschwinden, die Syntax aufgelöst werden. Diese Regeln, die Marinetti selbst in seiner Lyrik befolgte, wurden in Deutschland von einigen Pseudopoeten vorwiegend aus dem «Sturm»-Kreis übernommen. In dieser Zeitschrift erschienen seit 1912 die futuristischen Manifeste.

Im gleichen Jahr schrieb Alfred Döblin eine begeisterte Kritik über die erste Ausstellung futuristischer Bilder in der «Sturm»-Galerie: «Der Futurismus ist ein großer Schritt. Er stellt einen Befreiungsakt dar. Er ist keine Richtung, sondern eine Bewegung. Besser: er ist die Bewegung des Künstlers nach vorwärts [87].» Ein Jahr später schon distanzierte er sich in einem «Offenen Brief an F. T. Marinetti» von dessen Anspruch, alleinseligmachender Führer der neuen Kunst zu sein: «Gehen Sie nicht weiter auf Herdenzüchtung aus; es gibt viel Lärm dabei und wenig Wolle. Bringen Sie Ihr Schaf ins Trockne. Pflegen Sie Ihren Futurismus. Ich pflege meinen Döblinismus [88].» Dieser Absagebrief zeigt, wie sich die jungen Künstler in Deutschland vorerst begeistert der neuen Bewegung anschlossen, sich aber bald darauf vom autoritären, kriegerischen Marinetti abwandten.

Die ersten futuristischen Manifeste waren in Deutschland sicher schon vor 1912 bekannt. Ihre Kühnheit war derart herausfordernd, daß die junge Generation, die sehnsüchtig einen Umsturz erwartete, auf sie aufmerksam werden mußte. Die rigorose Absage an alles Hergebrachte und vor allem die Erhebung der Technik und der Großstadt zum bevorzugten künstlerischen Stoff konnten ihre Wirkung nicht verfehlen. Heyms Tagebuch gibt einen guten Einblick in die geistige Haltung der jungen Revolutionäre Deutschlands. Im Prosastück «Eine Fratze» [89] von 1911 beschreibt er die Krankheit seiner Generation: «Unsere Krankheit ist, in dem Ende eines Welttages zu leben, in einem Abend, der so stickig ward, daß man den Dunst seiner Fäulnis kaum noch ertragen kann. Begeisterung, Größe, Heroismus. Früher sah die Welt manchmal die Schatten dieser Götter am Horizont. Heute sind sie Theaterpuppen. Der Krieg ist aus der Welt gekommen, der ewige Friede hat ihn erbärmlich beerbt.» Diese Sätze erinnern deutlich an Marinettis Wort, der Krieg sei die «einzige Hygiene der Welt».

Wann und wie weit der Futurismus den Expressionismus beeinflußte, ist noch nicht genau untersucht. Sicher waren in Deutschland eigene, starke Ansätze zu einer Revolutionierung der Kunst da. Der Futurismus ist nicht nur deshalb interessant, weil er den Anstoß zu einer neuen deutschen Kunst gab, sondern vor allem, weil an ihm Eigenschaften in übertriebenem Maß erkennbar sind, die auch dem Expressionismus anhaften. Das lärmige, hohle Pathos Marinettis findet sich auch in manchen deutschen Kunstwerken und Manifesten jener Zeit. Dagegen bestehen wesentliche Unterschiede zwischen den beiden Bewegungen. Während Marinetti den Anbruch einer neuen, großartigen Zeit verkündete und zum gnadenlosen Krieg aufforderte, sind der Pazifismus und das Bewußtsein, in einer Endzeit zu leben, durchgehende Kennzeichen des Expressionismus. Dazu kommt, daß der Futurismus keinen einzigen großen Dichter aufweist. Die großen Expressionisten aber lassen sich auf kein Programm festlegen.

b) Das Motiv der Stadt bei van Hoddis

Die chronologische Anordnung in Pörtners Ausgabe stammt von Erwin Loewenson. Es besteht kein Grund, ihr zu mißtrauen. Danach schrieb van Hoddis seine ersten expressionistischen Gedichte vor oder höchstens gleichzeitig mit dem Bekanntwerden des ersten futuristischen Manifests. Die erste Gruppe, zu der auch «Morgens» und «Stadt» gehören, entstand von 1907 bis 1909. Den Anfang bilden neuromantische Gedichte, die von Traum- und Parklandschaften handeln:

Weihe deinen Geist dem Feste
Heiter schreite durch die Auen
Durch die sonnig wirren blauen
Schatten der belaubten Äste.

Kurz darauf schrieb van Hoddis das Gedicht «Morgens»:

Morgens

Ein starker Wind sprang empor.
Öffnet des eisernen Himmels blutende Tore.
Schlägt an die Türme.
Hellklingend laut geschmeidig über die eherne Ebene der Stadt.
Die Morgensonne rußig. Auf Dämmen donnern Züge.
Durch Wolken pflügen goldne Engelflüge.
Starker Wind über der bleichen Stadt.
Dampfer und Kräne erwachen am schmutzig fließenden Strom.
Verdrossen klopfen die Glocken am verwitterten Dom.
Viele Weiber siehst du und Mädchen zur Arbeit gehn.
Im bleichen Licht. Wild von der Nacht. Ihre Röcke wehn.
Glieder zur Liebe geschaffen.
Hin zur Maschine und mürrischem Mühn.
Sieh in das zärtliche Licht.
In der Bäume zärtliches Grün.
Horch! Die Spatzen schrein.
Und draußen auf wilderen Feldern
Singen Lerchen.

Zu diesem Gedicht bemerkt Loewenson: «‚Morgens' gehört außer den
ersten sechs Zeilen zu den frühesten Gedichten. Van Hoddis hat es später aus
dem Kopf niedergeschrieben, nachts in der Aktionsdruckerei, auf Wunsch
von Pfemfert, der etwas «Sozialkritisches» wollte.» [90] Diese Aussage wird
gestützt durch die Tatsache, daß die ersten sechs Verse für sich eine Einheit
bilden. Der erste nimmt das Motiv des starken Windes aus dem siebten Vers,
der ursprünglich am Anfang stand, auf und führt es in den folgenden fünf
breit aus. Trotz dieser nachträglichen Erweiterung bildet das Gedicht eine
großartige sprachliche Einheit. Sie beweist, daß die ersten sechs Verse kurz
nach dem Entstehen des übrigen Gedichts hinzugefügt wurden.

Der Hinweis Loewensons gibt einen interessanten Einblick in das Treiben
auf den expressionistischen Redaktionsstuben. Der radikale Sozialist Pfemfert druckte das Gedicht wohl vor allem wegen der Schilderung der mürri-
schen Arbeiterinnen in seiner «Aktion» ab. Es ist aber in erster Linie nicht
«sozialkritisch», sondern stellt einen gewaltigen Lobgesang auf Berlin dar.
Es ragt weit über die zur gleichen Zeit entstandenen Verse van Hoddis' hinaus. In einem einzigartigen Ausbruch aus jeder Tradition gelang hier ein Mei-
sterwerk, das den größten Teil der anschließend produzierten expressionistischen Lyrik übertrifft.

Das Gedicht schildert einen Morgen in Berlin. Durch Aneinanderreihung verschiedener Einzelheiten entsteht ein packendes Bild der erwachenden Großstadt. Nicht die elenden, menschenunwürdigen Mietskasernen sind dargestellt, sondern ein mythisch gesehener Riese, der ein von den Menschen unabhängiges Eigenleben führt. In den ersten sechs Versen tritt die Stadt in Beziehung zu Himmel und Sturm. Am frühen Morgen erwacht der Wind, öffnet die nächtlichen Tore des Himmels, damit das Morgenrot heraustrete, und braust über die Stadt, die darob erwacht. Der Sturm ist hier ein Bild für die mächtige Gewalt der Natur, die neues, kräftiges Leben einhaucht. Später wird er, besonders bei Heym, zur Metapher für die drohende Zerstörung der abbruchreifen Welt. Die folgenden Verse handeln vom Leben in der Stadt. Dampfer, Kräne und Glocken erwachen. Arbeiterinnen gehen zur Arbeit. Ihre Glieder, die «zur Liebe geschaffen» sind, müssen Maschinen bedienen. Der Mensch ist nicht mehr Beherrscher der Stadt, sondern einer ihrer Bestandteile wie die Dampfer, Kräne und Glocken. Es wird verfügt über ihn. Da er zum leblosen Gegenstand degradiert ist, erweckt er keine Mitverantwortung. Die Glocken sind am Morgen «verdrossen», Dampfer und Kräne «erwachen». Die toten Dinge reagieren menschlich. Für die Stadt besteht kein Unterschied zwischen Maschine und Mensch. Eine ähnliche Darstellungstechnik erscheint schon bei Barlach, dessen 1896 geschriebene Prosaskizze «Sturm auf der Seine»[91] mit folgenden Sätzen beginnt: «Die Lastboote liegen faul beieinander, wie Ungetüme nach dem Fraß im Mittagsbad. Nordische Ungetüme. Vorne breit und hinten breit. Mit extradicken Schägeln.» Barlach gebraucht vorerst immer noch die Vergleichstechnik mit «wie» und geht dann zur direkten Identifikation über. Die Mythisierung der Dinge wird im Expressionismus zunehmend absoluter. Bei van Hoddis ist die Gleichsetzung von Gegenstand und Lebewesen in den Wörtern «erwachen» und «verdrossen» bereits vollzogen.

Der Dichter kritisiert nicht. Er besingt das gewaltige Ungetüm Großstadt. Ihr eigenmächtiger, unmenschlicher Mechanismus fasziniert ihn. Das Licht und das Grün der Bäume nennt er «zärtlich». Dieses Wort ist eher in einem Liebesgedicht als im Gesang auf eine gigantische Großstadt zu erwarten. Er fordert dazu auf, dem Geschrei der Spatzen zu horchen. Diese Vögel gelten als vulgär und erbärmlich, weil sie noch unter den unnatürlichsten Bedingungen, z. B. in einem modernen Häusermeer, leben können. Mit ihnen ist eine neue Art von Dichter, der Asphaltliterat, angedeutet. Van Hoddis stellt sie dem traditionellen Bild für den glücklichen, edlen Sänger, den Lerchen, entgegen. Diese singen draußen «auf wilderen Feldern», wo sie zuhause sind. Da van Hoddis aber in der Stadt lebt, hört er den Spatzen zu. Der Schluß des Gedichts ist eine Rechtfertigung der Großstadtpoesie. Sie wäre nicht nötig. Denn die großartige sprachliche Bewältigung ist Rechtfertigung genug. Die an Marinettis Forderung nach «Analogien» erinnernde Reihungstechnik läßt keine intakte, weitausholende Syntax zu. Der Satz wird zur knappen Ellipse. Der elfte Vers lautet: «Im bleichen Licht. Wild von der Nacht. Ihre Röcke wehn.» Ähnlich wie in der futuristischen Malerei geben drei kurze, prägnante Einzelheiten den Zustand eines Ganzen wieder.

Diese Technik ist auch im großen erkennbar. Ist im einzelnen Vers die Syntax aufgelöst, so sind im ganzen Gedicht jede starre Strophenform und jede regelmäßige Metrik gesprengt. Die Verse reimen nur, wenn es sich gerade ergibt. Sie haben zwei bis sieben Hebungen. Der Rhythmus wechselt beliebig. Neben stampfenden Blankversen («Durch Wolken pflügen goldne Engelflüge.») stehen die unregelmäßigsten Knittelverse. Das wilde Daherbrausen des Windes drückt sich in einem äußerst unregelmäßigen Rhythmus aus:

«Hellklingend laut geschmeidig über die eherne Ebene der Stadt.»

Am Anfang folgen sich zwei betonte Silben, vor der letzten drei unbetonte. In der Sprengung von Satz, Strophe und Metrik gelingt van Hoddis etwas Neuartiges. Die vibrierende Einheit der Großstadt wird sichtbar. Rollende Züge, Dampfer und Kräne und die Maschinen in den Fabriken verändern die überlieferte Gedichtform zur Unkenntlichkeit. Als neue, Einheit stiftende Kraft wirken nur noch Sprache und Rhythmus.

Besonders die ersten sechs Verse erinnern an Marinettis Forderung nach «parole in libertà». Sie lassen die Vermutung zu, daß dieser Teil unter dem unmittelbaren Eindruck des «Technischen Manifests des Futurismus» entstanden ist. Die letzten zwölf Verse des Gedichts wären dann spätestens Anfang 1909 geschrieben worden, die ersten sechs Verse kurz nachher. In diesem Fall wäre van Hoddis in seinem Willen zur Zertrümmerung der Syntax von Marinetti bloß bestärkt, nicht aber erst darauf aufmerksam gemacht worden. Diese Ausführungen bleiben aber eine bloße Vermutung.

Das Gedicht «Morgens» steht im Werk van Hoddis' einzigartig da. Die begeisterte, mythisierende Beschreibung Berlins beweist gegen alle Einwände formaler Art, daß es das erste Stadtgedicht van Hoddis' ist. Bald nämlich ändert sich sein Verhältnis zur Großstadt. In einer ununterbrochenen Reihenfolge entstehen Gedichte, die alle die Stadt als Ort der Verdammnis, zuletzt als wahre Hölle schildern. Das erste dieser Gedichte entstand ebenfalls um 1909:

Stadt

Wie schön ist diese stolze Stadt der Gierde!
Ihr Elend und geschmähter Überfluß
Und schwerer Straßen sehr verzerrte Zierde.

Schamloser Tag entdeckt dir die Konturen.
Die Häuser stehn befleckt mit Staub und Ruß,
Es flirrt um Eilende und Wagenhaufen
Furchtsame Weiber, Männer, blaße Huren ...

Ich starre lange in die schnelle Pracht
Ein Dumpfes ahnend drunten im Gedränge –
Ich weiß wie sie des blöden Tages Strenge
Gewaltig preisen: daß er herrschen macht.

(Es zieht sie nur zur wohlumbauten Enge.)

Komm! laß uns warten auf die kranke Nacht
Der schweren dröhnenden Gedankenpränge.

Schon die äußere Form ist das extreme Gegenteil der ungebundenen Wort-
kaskade von «Morgens». Man könnte das Gedicht als heimliches Sonett bezeichnen. Es besteht aus zwölf Blankversen, die allerdings strophisch nicht
korrekt geordnet sind. Auch das Reimschema ist nicht regelmäßig. Der sechste Vers reimt überhaupt nicht. Trotz diesen Abweichungen macht das Gedicht den Eindruck eines Sonetts. Er wird unterstrichen durch die themati-
sche Aufteilung in Bejahung, Verneinung und Konsequenz.

Die ersten sieben Verse beschreiben die Stadt. Sie ist «schön». Dieses Adjektiv verrät Distanz des Sehenden. Er läßt sich von ihrem Rhythmus nicht mehr
hinreißen, sondern er reflektiert. Ihre Haupteigenschaft ist die «Gierde».
Dieses Wort ist keine Neubildung, sondern ein alter, aus der deutschen Mystik
stammender Begriff. Hier meint er eine verwerfliche, aber faszinierende
Eigenschaft, welche die Schönheit der Stadt verzerrt.

Die zweite Strophe beschreibt das Treiben auf den Straßen in einer ähnlichen Technik wie «Morgens». Die Menschen sind den Wagen und Häu-
sern gleichgestellt. Der Tag, der in «Morgens» eben anbricht und die Züge,
Schiffe und Menschen zu neuem Leben erweckt, ist hier «schamlos». Besser,
es wäre nie hell, damit die Konturen der Gierde und des Elends versteckt
blieben. Die Stadt ist nicht mehr der begeisternde Riese, sondern Schauplatz
menschlichen Elends. Sie führt immer noch ein begeistertes Eigenleben, das
aber mit dem Wort «schön» abgetan wird. Wichtig ist der Mensch, vor allem
die Person des Dichters.

In den Versen acht bis zwölf redet van Hoddis von sich selbst. Er wendet
sich von der Stadt ab und reflektiert über die Menschenmassen. Das
«Dumpfe», das er «drunten im Gedränge» ahnt, kann er nicht genau umreißen. Es erinnert an Heyms Gedicht «Der Krieg, I»:

> «Aufgestanden ist er, welcher lange schlief,
> Aufgestanden unten aus Gewölben tief.» [92]

In den nächsten Versen kritisiert van Hoddis die Menschen, die sich vom
«Dumpfen» mitreißen lassen und «herrschen» wollen. Der «schamlose Tag»
ist jetzt ein «blöder Tag», der nur die Oberfläche beleuchtet. Sie wird allerdings von allen Leuten gepriesen. Die Klammer, die den drittletzten Vers
umfaßt, ist laut Pörtner ein «ironisierendes Stilmittel». In diesem Vers macht

sich der Dichter über die Gartenlaube-Mentalität der Spießbürger lustig, die nur nach äußerer Sicherheit streben.

Die zwei letzten Verse ziehen die Konsequenz. Van Hoddis lehnt die Stadt, die er in «Morgens» so großartig besungen hat, ab und zieht sich in seine innere Gedankenwelt zurück. Dem «schamlosen», «blöden Tag» zieht er die «kranke Nacht» vor. Das Adjektiv «krank» zeigt, daß er schon hier seine spätere Entwicklung vorausahnt. Im letzten Vers erscheint zum erstenmal die geheimnisvolle, kaum auflösbare Bilderwelt, in der der Dichter seine innere Situation umreißt. Das Wort «Gedankenpränge» ist eine Neubildung. Es ist von «Gedankengepränge» abgeleitet. Die Adjektive «schwer» und «dröhnend» verweisen in die Welt, in welche der Denker im gleichnamigen Gedicht hinabsteigt. Die «kranke Nacht» und das «Gedankenpränge» gehören zur Bilderwelt der besten, späteren Gedichte van Hoddis'. Hier genügt es, festzustellen, daß er dem begeisterten Besingen der Großstadt absagt, daß er also die Entwicklung, die sich in «Morgens» abzeichnet und die von anderen Dichtern weitergeführt wird, unterbricht und sich in seine innere Gedankenwelt, in die «kranke Nacht», zurückzieht.

Man kann die Dichtung van Hoddis' definieren als fortwährender Kampf um die zauberhafte, träumerische, innere Welt der Phantasie, die im Bild der Nacht oder im Gegenbild des Tages mehr als dreißigmal in seinem Werk erscheint. In seinem laut Pörtners Ausgabe letzten Gedicht, dem «Nachtgesang», ist dieser Kampf verloren:

> «Tief unter mir erstirbt die kranke Nacht.
> Und grauenhaft steigt bald der Morgen auf.»

Seit Novalis ist in der deutschen Literatur die Nacht Sinnbild für die geheimnisvolle, zauberhafte Welt der Innerlichkeit. Seine «Hymnen an die Nacht» sind ein Lobgesang auf die magische Einheit von logisch Unvereinbarem. Im Bereich der alles umfassenden Nacht findet er seine tote Geliebte wieder. Auch bei ihm ist das Gegenbild der Tag: «Wie arm und kindisch dünkt mir das Licht nun – wie erfreulich und gesegnet des Tages Abschied [93].» Van Hoddis' Verwandtschaft mit dem großen Romantiker zeigt sich bis in die Wortwahl. Die «schnelle Pracht» aus dem Gedicht «Stadt» erscheint bei Novalis ebenfalls als Attribut des Tages: «Gern will ich ... rühmen deines Glanzes volle Pracht [94].» Er spricht auch schon den Gedanken aus, daß «des blöden Tages Strenge ... herrschen macht»: «Also nur darum, weil die Nacht dir abwendig macht die Dienenden, säetest du in des Raumes Weiten die leuchtenden Kugeln, zu verkünden deine Allmacht [95].»

Novalis' Einzigartigkeit beruht in seiner sicheren, ungestörten Beziehung zum Reich der magischen Phantasie. Für ihn ist die Nacht nicht «krank»: «Abwärts wend ich mich zu der heiligen, unaussprechlichen, geheimnisvollen Nacht [96].» In der fünften und sechsten Hymne verbindet er ihren Bereich auf eigentümliche Weise mit dem christlichen Glauben, dem die anschließend entstandenen «Geistlichen Lieder» gelten. Wenn er Christus nicht hätte, schreibt er, müßte er zugrunde gehen:

> «Einsam verzehrt von Lieb' und Sehnen,
> Erschien' mir nächtlich jeder Tag.» 97

Diese geistige Sicherheit nimmt dem Gegensatz Nacht–Tag seine Schärfe. Indem Novalis die irdische Ordnung als vorläufig erkennt, kann er sich ihr getrost unterziehen. Im festen Bezugspunkt Gott weiß er die Vorläufigkeit aufgehoben.

Auch van Hoddis erkennt die Vorläufigkeit der irdischen Ordnung. Ihm fehlt aber der feste Bezugspunkt hinter den Dingen. Im Gegensatz zu Novalis findet er auch im katholischen Glauben keine Sicherheit. So wird die Vorläufigkeit nicht aufgehoben, sondern verabsolutiert. Sie deformiert die irdische Realität zur Hölle: die Nacht wird «krank», wird zu den «Nächten der grellen Fäule und Verdammnis» 98. Obschon kein fester Bezugspunkt da ist, sind seine Bilder auf einen solchen angelegt. Das zeigt schon der Anfang des Gedichts «Stadt». Die «stolze Stadt der Gierde» erinnert an die Sprache der Propheten im Alten Testament. Das Sachwort «Stadt» ist verbunden mit den zwei Abstrakta «stolz» und «Gierde». Im Lauf des Gedichts vermutet der Leser, daß hier ein Bußprediger am Werk sei, der mit Begriffen aus seiner Morallehre eine schlechte Menschheit verbessern will. Er wartet aber vergeblich auf den erhobenen Zeigefinger, welcher in ein besseres Jenseits deutet. Anstelle des Hinweises auf die Ewigkeit folgt die Aufforderung, sich der eigenen, kranken Gedankenwelt hinzugeben.

Aus dem Mangel eines festen Bezugspunktes, heiße er Gott, Ewigkeit oder Liebe, entsteht eine eigentümliche Bilderwelt. Sie kann nicht an einem außerhalb des Dichters liegenden System gemessen, sondern nur aus seinen Gedichten erhellt werden. Es fällt schon beim ersten Durchlesen seines Werks auf, daß einzelne Bilder immer von neuem wiederholt und abgewandelt werden, teils vereinzelt, teils zu einem ganzen Bezugssystem gefügt. Das erste Gedicht, in dem diese eigentümliche Bilderwelt zusammenhängend faßbar wird, ist «Tristitia ante ...»:

Tristitia ante ...

Schneeflocken fallen. Meine Nächte sind
Sehr laut geworden, und zu starr ihr Leuchten.
Alle Gefahren, die mir ruhmvoll deuchten,
Sind nun so widrig wie der Winterwind.

Ich hasse fast die helle Brunst der Städte.

Wenn ich einst wachte und die Mitternächte
Langsam zerflammten – bis die Sonne kam –,

Wenn ich den Prunk der weißen Huren nahm,
Ob magrer Prunk mir endlich Lösung brächte,

War diese Grelle nie und dieser Gram.

Der Titel ist wahrscheinlich eine radikalisierende Umkehrung des lateinischen Wortes: «Omne animal post coitum triste.» Das Gedicht besteht aus zwei Teilen. Die ersten fünf Verse handeln von der Gegenwart, die zweiten fünf von der Vergangenheit. Der letzte Vers folgert, daß die Vergangenheit die glücklichere Zeit war. Er erinnert deutlich an den Schluß des bereits besprochenen Gedichts «Die Stadt»:

«... Ah! helle Flöten
Und Geigen tönen meinem Gram vergebens.»

Beide Gedichte trauern der Vergangenheit nach, beide bezeichnen die gegenwärtige Stimmung als «Gram». «Die Stadt» leistet dasselbe wie «Tristitia ante ...», nur mit andern Mitteln. Ihre Bilder stammen aus verschiedenen, unzusammenhängenden Bereichen. Der Mond, das Ägäische Meer, die Nacht, das Judentum, das Nichts, die Städte, der öde Tag des Lebens, Siege, Flöten und Geigen werden nacheinander herbeigezogen. In «Tristitia ante ...» hingegen bilden die Bilder eine Einheit. Im Zentrum steht der Vers:

«Ich hasse fast die helle Brunst der Städte.»

Er erinnert deutlich an den Anfangsvers des Gedichts «Stadt»:

«Wie schön ist diese stolze Stadt der Gierde.»

Hier wie dort sind Sachwörter und Abstrakta vermischt: hell, Brunst, Städte; stolz, Stadt, Gierde. Der wesentliche Unterschied besteht darin, daß im früheren Vers die Abstrakta Attribute des Sachworts «Stadt» sind, während im späteren die Sachwörter zu Attributen des Abstraktums degradiert werden. Im ersten Gedicht ist die Stadt gemeint, im zweiten die Brunst. Die Stadt, im frühen Gedicht «Morgens» noch klar als Berlin erkenntlich, erscheint jetzt im Plural. Sie verliert jegliches Profil. Das durchgehende Merkmal aller Städte ist «die helle Brunst». In Verbindung mit dem Abstraktum «Brunst» ist das Adjektiv «hell» nicht ohne weiteres verständlich. Erst im Zusammenhang mit andern Bildern des gleichen Gedichts, mit dem «Leuchten», den «weißen Huren» und der «Grelle», wird der Bedeutungsgehalt von «heller Brunst» begreiflich. Im Gegensatz zu Gierde ist die Brunst eine spezifisch tierische Eigenschaft. Die «stolze Stadt der Gierde» ist ein Ort, der dem Mensch angemessen ist und in dem er sich zuhause fühlen kann. In den Städten der «hellen Brunst» hingegen waltet eine tierische, unkontrollierte Macht, die der Dichter beinahe haßt. Beide Verse verfremden auf eigentümliche Weise ihre Aussage; der erste durch die Spannung zwischen «schön» und «Gierde», der zweite durch das relativierende «fast». Beidemal weicht der

Dichter einer eindeutigen Stellungnahme aus. Er schwankt zwischen faszinierter Hingabe und fanatischer Ablehnung. Seine paradoxe Situation drückt sich in paradoxen Bildern aus. Die starr leuchtenden Nächte und die zerflammenden Mitternächte sind Beispiele dafür.

In den ersten vier Versen von «Tristitia ante ...» stehen die Nacht und die Gefahr im Vordergrund. Beide sind bereits bekannt. Die Gefahren bilden das Thema der besprochenen Trilogie («Die Abenteurer», «Der Denker», «Die Stadt»). Der «Winterwind» ist eine direkte Wiederholung der «Winterstürme» aus dem «Abenteurer». Dort ist er das erstrebte Ziel, hier der erreichte Schlußpunkt, der nicht hält, was er versprach. Auch die «kranke Nacht», welcher sich im Gedicht «Stadt» der Dichter hingibt, bringt keine Erfüllung. Sie ist «sehr laut geworden», «ihr Leuchten» ist «zu starr». Der «als daß»-Nebensatz, der sich auf das «zu starr» beziehen sollte, bleibt aus, die Syntax selber erstarrt.

Der zweite Teil führt das Bild der Nacht weiter aus. Früher «zerflammten» die Nächte. Dieses Verb bezeichnet einen intensiven, lebendigen Vorgang im Gegensatz zum toten «Leuchten». Zerflammen kann ein Stück Holz, das Hitze und Licht abgibt und in Asche zerfällt. «Leuchten» ist die Eigenschaft einer elektrischen Glühbirne, die leblos und unveränderlich funktioniert. Die Nacht war also früher lebendig und dem Mensch gemäß. Jetzt sind die Nächte tot und unmenschlich.

Mit dem «Prunk der weißen Huren» erscheint ein neues Bild. Auch hier sind die Sachwörter zu Attributen eines Abstraktums degradiert. Das Adjektiv «weiß» hat vorerst reine Farbqualität. In Verbindung mit dem Substantiv «Huren» verändert es aber seinen Bedeutungsgehalt. «Weiß» bedeutet hier keine sichtbare, reale Farbe, ebensowenig wie in den Versen:

«Nächte sind weißer von Gedankensonnen
Als je der tiefe Tag im Süden weiß.» 99

Das Abstraktum «Prunk» nimmt den «weißen Huren» vollends den Realitätscharakter. Sie werden zur reinen Figur, die sich vorerst nicht auflösen läßt. Etwas läßt sich über sie aussagen: van Hoddis erwartete von ihnen «Lösung». Das alte Wort meint «Loslösung», «Loskauf» und hat nichts zu tun mit dem christlichen Begriff der Erlösung durch Gnade.

Der Schlußvers verbindet die beiden Teile des Gedichts. Früher «war diese Grelle nie und dieser Gram». Die beiden Substantive sind wohl auch durch die Alliteration evoziert. Dieses Kunstmittel ist besonders ausgeprägt im vierten Vers («widrig wie der Winterwind»). «Grelle» und «Gram» stammen aber auch wieder aus verschiedenen Bereichen. «Gram meint eine Stimmung. Das Substantiv «Grelle» ist eine Neubildung und bezeichnet wie das «zu starre Leuchten» vorerst das grelle Licht, darüber hinaus Starrheit, schneidende Schärfe und Tod.

66

Das Thema ist klar. Der Dichter hat sich der faszinierenden Nacht der Großstadt hingegeben in der Hoffnung, so «Lösung» zu finden. Nacht und Großstadt erweisen sich aber als ihm feindliche, unmenschliche Bereiche. Er sinkt noch tiefer in die Verzweiflung.

Die Bilder, in denen er diesen Vorgang ausdrückt, haben ein durchgehendes Merkmal: sie lassen sich mit keinen konkreten Vorstellungen aus der äußeren Realität in Einklang bringen, sie sind unvorstellbar, abstrakt: das starre Leuchten der Nächte, die helle Brunst der Städte, die zerflammenden Mitternächte, der Prunk der weißen Huren, die Grelle.

Alle diese Bilder stammen aus dem Geist des Dichters. Der Vorgang, den sie schildern, ist kein objektives Geschehen, sondern eine persönliche Standortbestimmung, ein momentaner Situationsbericht. Wie die Leuchttürme einer Hafeneinfahrt stehen sie nicht beziehungslos und vereinzelt nebeneinander. Sie erhellen sich gegenseitig und bilden ein System.

Walter Killy hält in seinem Buch «Über Georg Trakl» [100] als Eigentümlichkeit moderner Lyrik fest, «daß sie sich nur aus sich selbst erläutert» [101]. Er stellt die Frage, wie man die eigentümlichen, oft unbegreiflichen Bilder Trakls begrifflich bestimmen soll. «Mit dem Begriff der Metapher ist angesichts solchen ständigen Übergangs nichts getan; das «wie» des Vergleichs setzt die Bestimmtheit der Erscheinungen voraus. Hier ist jedes das andere, und auch von daher verbieten sich bei der Deutung die üblichen Identifikationen [102].» Killy hält es für unmöglich, Trakls Bilder mit eindeutigen Begriffen zu belegen, da sie sich nicht identifizieren lassen. Er redet bald von Figuren, bald von Zeichen und Chiffren.

Gerade aber im Vergleich von Trakls Bilder mit denjenigen van Hoddis' zeigt sich ein wesentlicher, begrifflich faßbarer Unterschied. Trakls Bilder genügen sich selbst. Sie weisen nicht über sich hinaus. Aus den einfachsten Motiven seiner Umgebung formt er vollendete Gedichte. Der «Sommer» [103] aus dem «Gesang des Abgeschiedenen» setzt sich aus folgenden Bildern zusammen: die Klage des Kuckucks, Wald, Korn, roter Mohn, schwarzes Gewitter, Hügel, das alte Lied der Grille, Feld, das Laub der Kastanie, Wendeltreppe, Kleid, Kerze, dunkles Zimmer, silberne Hand, Nacht. Sie sind wie Mosaiksteine zu einem einheitlichen Gebilde zusammengefügt, das nicht aufgelöst werden kann. Wir nennen sie Zeichen.

Sommer

Am Abend schweigt die Klage
Des Kuckucks im Wald.
Tiefer neigt sich das Korn,
Der rote Mohn.

Schwarzes Gewitter droht
Über dem Hügel.

Das alte Lied der Grille
Erstirbt im Feld.

Nimmer regt sich das Laub
der Kastanie.
Auf der Wendeltreppe
Rauscht dein Kleid.

Stille leuchtet die Kerze
Im dunklen Zimmer;
Eine silberne Hand
Löschte sie aus;

Windstille, sternlose Nacht.

Bei van Hoddis kann man nur bedingt von Bildern reden. Die Brunst, die Gier, der Prunk, die Grelle, Gedankenpränge usw. vermitteln keine anschauliche Vorstellung. Es sind abstrakte Begriffe, die oft mit anschaulichen Bildern gepaart sind: die helle Brunst der Städte, der Prunk der weißen Huren. In der Verbindung von Abstraktem mit Konkretem ensteht die Spannung, die die Großartigkeit seiner Gedichte ausmacht. Seine Metaphern sind angelegt auf ein klares, außer ihm liegendes Beziehungsgefüge. Ein solches festes System gibt es aber für ihn nicht. Deshalb sind die Metaphern nicht auflösbar und folglich keine Metaphern im strengen Sinn. Sie werden immer schärfer formuliert, werden immer abstrakter und verlieren zuletzt ihren Bildcharakter. Sie werden zu reinen Figuren, die unter sich in Beziehung stehen, die aber über keinen festen Punkt erreichbar sind.

Innerhalb des Gedichts «Tristitia ante …» sind die Verbindungen auffällig. Das zentrale Bild ist die Nacht, die einzelnen Figuren handeln von Helligkeit: leuchten, helle, zerflammen, weiß, Grelle. In der paradoxen Verbindung der normalerweise dunklen Nacht mit den Eigenschaften des strahlenden Mittags drückt der Dichter die Paradoxie und Unmöglichkeit seines Versuchs aus, die «heilige, unaussprechliche, geheimnisvolle Nacht» in die moderne Realität der Großstadt einzubeziehen. Wie die elektrischen Reklamelichter und der Lärm der Fahrzeuge die Nacht in eine erleuchtete und hektisch betriebsame Zeit verwandeln, so leuchtet die moderne Luzidität und die Entzauberung jedes Geheimnisses den Geist, der sich einer mystischen Innerlichkeit hingeben will, bis in die letzten Winkel erbarmungslos aus. Die Welt der «schweren dröhnenden Gedankenpränge» wird starr und grell. Sie bietet keine Lebensmöglichkeit mehr.

Die Klage über das verlorene Glück der Vergangenheit und über die unmenschliche Gegenwart bildet das Hauptthema der Gedichte von 1909 bis 1911. In wechselnder Gruppierung und Einkleidung erscheint immer wieder die gleiche Bilderwelt, oft verdeckt durch das Hauptmotiv. Im folgenden Gedicht, das keinen Titel trägt, liefert die Zerstörung der alten Stadt Palmyra das Grundbild:

Und immer fordernd rollt die blute See.

Die nackte Saat zerstapfen die Kolonnen.
Die Erde tönt. Die Straßen von Palmyra
– Der Abertausend hochgetürmte Lust
Voll Wein und Ruch und Hurenpracht – Palmyra
Und zwanzig Städte brennen in den Bergen.

Doch immer fordernd rollt die blute See.

Dein Hohn zergellt die Nacht der weißen Rosen.
O allzu heftig prüfst du jeden Lohn:
Weihbilder fallen. Auch der große Trost,
Der Traum der Weisen, ekelt dir: ein Tand.

Denn immer fordernd rollt die blute See.

Durch Schmach und Brunst und rauhe Scharen treibt
Dich Ländergier. Nach neuem Truge Gier.

Auch Heyms Gedicht «Der Tag» [104] handelt von der untergegangenen assyrischen Hauptstadt. Ähnlich wie van Hoddis' «Karthago» ist es ein Versuch, den alten, mythisierenden Ton an einem Stoff aus der Antike wieder aufleben zu lassen. Im Gegensatz zu diesen zwei Gedichten ist das vorliegende keine Flucht in die Vergangenheit. Palmyra wird aufgegriffen, weil sich an dieser Stadt etwas Aktuelles demonstrieren läßt.

Wie das Gedicht «Stadt» hat «Und immer fordernd ...» eine dem Sonett verwandte Form. Wieder sind die vierzehn Verse strophisch nicht korrekt geordnet und reimen nicht. Trotzdem hat das Gedicht den Charakter eines Sonetts. Der zweimal wiederholte, immer leicht abgeänderte Anfangsvers unterteilt es in drei Teile. Der triadischen Unterteilung in These, Antithese und Synthese entspricht die Abfolge von Bild, Gegenbild und Konsequenz im Sonett. Die dialektische Grundstruktur läßt sich schon an den drei Konjunktionen ablesen, die den zentralen Vers «... immer fordernd rollt die blute See.» abwechselnd einleiten. Dem neutralen «und» folgt das entgegenstellende «doch», diesem das zusammenfassende «denn». Das Meer ist in der Dichtung van Hoddis' ein seltenes Bild. Es erscheint in seinen neuromantischen Jugendversen als «Wellenhaus der grünen Amphitrite» und, mit einem ganz anderen Sinn, im «Weltende» als zerstörende Urkraft. Im vorliegenden Gedicht ist es als «blute See» bezeichnet. Das Adjektiv «blute» ist offenbar eine willkürlich veränderte Form von «blutige», ähnlich den andern Neubildungen van Hoddis' wie «brenne Sinnlichkeiten», «Gedankenpränge», «die Grelle». Alle diese Verkürzungen sind nicht bloß durch das Versmaß bedingt. Vielmehr enthalten sie eine neue Bedeutung. Im Ausdruck «blute See» schwingt die Vorstellung eines blutigen Meeres, blutig wegen der untergehenden Sonne oder wegen eines ungeheuren Gemetzels, nur noch leise mit. Die See wird durch das neuartige Attribut aus der Realität herausgehoben und zur reinen Figur für dasjenige, was «immer fordert».

Das Wort «immer» erscheint an einer zweiten, ebenso wichtigen Stelle, nämlich im Mittelvers des «Denkers»: «Und er rang und immer wieder.» Der immerwährenden Forderung stellt der Dichter ein immerwährendes Ringen gegenüber. Aus der Intensität dieses geistigen Kampfes entstehen seine besten Gedichte.

Die immerfordernde «blute See» treibt den Dichter von Position zu Position. Keine ist haltbar. Die erste ist im Bild der alten Stadt Palmyra umrissen. Sie eignet sich dazu, weil sie schon seit Jahrhunderten im Staub liegt und so die Vorläufigkeit jeder Stadt demonstriert. Der Dichter stellt sie im Augenblick ihres Untergangs dar. Mit ihr brennen weitere zwanzig Städte. Sie zeigen, daß das Schicksal Palmyras kein Einzelfall ist. Die Beziehung zur Gegenwart, zu Berlin, wird einmal durch den folgenden Vers deutlich: «Die nackte Saat zerstapfen die Kolonnen.» Er klingt an ein sehr frühes Gedicht an, das in wuchtigen Versen eine marschierende Militärkolonne der wilhelminischen Epoche darstellt:

> Gewaffnete ziehen die Straßen entlang
> Lachende Knaben verführt ihr Gesang
> Und durch die Gewirre der Tiere und Plagen
> Und Leute und Schreie und gleitenden Wagen
> Schneiden die Reihen mit tönendem Gang. [105]

In Palmyra erscheinen die Kolonnen zur Zeit des Untergangs. Auch der Untergang Deutschlands war mit dem Auftreten der marschierenden Kolonnen verbunden. «Der Abertausend hochgetürmte Lust» erinnert ebenfalls an Gedichte, in denen van Hoddis die moderne Großstadt schildert. Mit «Lust» und verwandten Wörtern wie «Gier» und «Brunst» kennzeichnet er die treibende Macht Berlins. Im Gedicht «Am Lietzensee» spricht er von der «Lust der vielen Straßen». Der Ausdruck «Hurenpracht» erinnert an den «Prunk der weißen Huren» in ‹Tristitia ante …›. Ob das Wort «Ruch» den alten Sinn von «Hilfegeschrei», erhalten noch in «ruchbar», oder den von «Geruch» hat, ist kaum zu entscheiden.

Mit Palmyra ist also nicht in erster Linie die alte Ruinenstadt, sondern die moderne Großstadt gemeint. Der erste Teil des Gedichts ist eine Wiederholung der Absage an sie, allerdings mit neuer Begründung: die Stadt wird bald zerstört werden.

Im zweiten Teil verneint van Hoddis auch die Möglichkeit, aus der Realität der Großstadt in den Bereich der romantischen Phantasie zu fliehen. Er redet sich selber an: «Dein Hohn zergellt die Nacht der weißen Rosen.» Das Verb «zergellen» hat eine ebenso schneidende und tödliche Qualität wie die «Grelle» in ‹Tristitia ante …›. An dieses Gedicht erinnert auch «die Nacht der weißen Rosen», nämlich an den «Prunk der weißen Huren». Die beiden Formulierungen sind gleich aufgebaut: Abstraktum, Farbadjektiv, Sachwort. Beidemal steigert das Farbwort das zu ihm gehörende Substantiv ins Überreale. Vor dem «Hohn» des Dichters hält auch die Weisheit der Philosophen nicht stand. Sie ist ihm «Tand». Davon handeln die beiden später entstandenen Gedichte «Am Morgen» und «Am Abend», die sich höhnisch über die denkerischen Versuche, Wahrheit zu finden, lustig machen.

Die letzten zwei Verse zeigen eine weitere Position des Dichters. Die «Ländergier» treibt ihn immer weiter zu «neuem Truge». In dieser Formulierung wird seine paradoxe Situation klar. Einerseits erkennt er schon im vornherein jedes Land, das er betreten wird, als Trug, anderseits treibt ihn die «Gier» dazu, sich einer neuen Illusion hinzugeben in der ohnmächtigen Hoffnung, sie werde zur Wahrheit. In diesen Versen spricht van Hoddis eine neue, moderne Einsicht aus: jede Wahrheit beruht auf Illusion; der Mensch kann aber ohne Wahrheit nicht leben. Schon Nietzsche hat diese Erkenntnis: «Wahrheit ist die Art von Irrtum, ohne welche eine bestimmte Art von lebendigen Wesen nicht leben könnte. Der Wert für das Leben entscheidet zuletzt [106].» Ihm ist nicht irgendeine Wahrheit, sondern das Leben wichtig. Van Hoddis' Denken bleibt auf halbem Weg stecken. Er kann seine Forderung nach absoluter Wahrheit nicht aufgeben. Die Folge davon ist seine Selbstzerstörung.

Die paradoxe Situation des Dichters spiegelt sich im paradoxen Bild «die Nacht der weißen Rosen». Die Nacht ist normalerweise schwarz und dunkel. Bereits im Gedicht «Tristitia ante ...» leuchtet sie aber starr, die Mitternächte zerflammen. Die paradoxe Figur ist also keine Fehlleistung des Dichters, sondern birgt eine wesentliche Erkenntnis. Für sich betrachtet ist sie unverständlich. Verglichen mit ähnlichen Versen muß sie wenigstens andeutungsweise ihren Gehalt offenbaren. Es erweist sich als notwendig, nach ähnlichen Figuren zu suchen und sie miteinander zu vergleichen.

«Weiß» ist das häufigste Farbadjektiv im Werk van Hoddis'. Es erscheint in allen seinen Schaffensperioden. In den neuromantischen Jugendversen dienen die Farben zur optischen Verschönerung des Bildes: des Lebens Göttin hat in der weißen Hand eine rote Blume; Benthesikymes Glieder gleichen gelben Rosen; Aphrodite steigt aus fliederroten Fluten. Noch in der koketten Groteske «Sonja» entsprechen die Farben der knalligen Varietéwelt. In den Gedichten nach 1909 sind die Farbadjektive nicht mehr rein ästhetisch eingesetzt. Sie erhalten eine neue, über das Optische hinausgehende Funktion. «Weiß» erscheint als Attribut sehr verschiedener Dinge, auch solcher, die überhaupt keine Farbe haben können: «der Prunk der weißen Huren» («Tristitia ante ...»), «weißer Sonnen Wut» («Aus blauen Wunden ...»), «die Nacht der weißen Rosen» («Und immer fordernd ...»), «des weißen Heiles feuchte Rosenkette» («Sein Haus so hoch ...»), «weiße Nächte» («Und goldne Nacht...»), «Weiße Fliegenschwärme» («Im Saale weiße Fliegenschwärme...»).

Kurt Mautz behandelt im letzten Kapitel seines Buches über Georg Heym die Farbensprache der expressionistischen Lyrik. Am Werk Heyms und Trakls liest er als Hauptmomente der expressionistischen Farbenmetaphorik folgende Punkte ab: «die Verselbständigung der Farben, ihre Loslösung vom sinnlich Wahrnehmbaren, ihre Subjektivierung, d. h. Besetzung mit affektiven Bedeutungen, und ... die Tendenz, den Charakter einer Farbe ,ins Minus zu ziehen'» [107]. Als Beispiel führt er das Gedicht «Der Träumende» van Hoddis' an, weil es die Bedeutung der Farben zum Thema hat [108].

Der Träumende

Blaugrüne Nacht, die stummen Farben glimmen.
Ist er bedroht vom roten Strahl der Speere
Und rohen Panzern? Ziehn hier Satans Heere?
Die gelben Flecken, die im Schatten schwimmen,
Sind Augen wesenloser großer Pferde.
Sein Leib ist nackt und bleich und ohne Wehre.
Ein fades Rosa eitert aus der Erde.

Unter dem Vorwand eines Angsttraums kommen hier die «stummen Farben» zur Sprache: Blaugrün, Rot, Gelb, Rosa. Sie bedeuten, so führt Mautz aus, «ein Unsagbares, das die Bilder des Gedichts metaphorisch zu umschreiben suchen». Er versucht, von den Bildern auf die Farben zurückzuschließen. So erhält «jede Farbe einen negativen Ausdruckscharakter: Blaugrün den der Verfremdung, eines Dunkels, in welchem die gegenständliche Wirklichkeit in traumhaft Halluziniertes sich auflöst, Rot ausdrücklich den von «Bedrohung», Gewalt (rohe Panzer), Bösem (Satans Heere), Gelb den des schreckhaft Gespenstigen (Augen wesenloser Pferde), und selbst das ... Rosa wird hier, seinem sprichwörtlichen Charakter entgegen, mit der Bedeutung von Abstoßendem, Peinigendem beliehen» [109]. Diese Interpretation ist legitim, weil die neue Bedeutung der Farben durch die Traumbilder umrissen wird. Das Gedicht nimmt Bezug auf ein Bild Kay Heinrich Nebels und ist ein schönes Beispiel für die gegenseitige Befruchtung von Malerei und Dichtung im Expressionismus.

Für die Lyrik Heyms stellt Mautz einen ganzen Katalog auf, welcher die Bedeutung der einzelnen Farben angibt und so Heyms Gedichte für den naiven Leser gleichsam übersetzt. Schwarz repräsentiert «Totes und Todesgrauen, Weiß Schrecken und Entsetzen, Rot Drohung und Gewalt des Untergangs, Gelb Unheil und Angst, Grün Leere, Kälte und subjektfremde Ruhe, Blau ein Positives, das ins Negative umschlägt» [110]. Diese kurze Zusammenstellung zeigt schon die Fragwürdigkeit der Methode. Denn die Übersetzung der Farbmetaphern lautet meistens gleich: Todesgrauen, Schrecken und Entsetzen, Gewalt des Untergangs, Unheil und Angst, Leere und Kälte. Somit wären die Farben gleichwertig und auswechselbar. Bei Heym trifft das weitgehend zu. «Mit der stereotypen Verwendung der Farbmetaphern läuft ihr Ausdruck Gefahr, zum Ausdrucksklischee zu werden [111].»

Die Farben haben seit je einen Symbolcharakter, der sich nicht in Synonymen ausschöpfen läßt. Er wurde von den expressionistischen Dichtern bewußt aufgegriffen und als neues Kunstmittel eingesetzt. Treten die Farbwörter im Übermaß auf wie bei Heym, so verlieren sie weitgehend ihre Symbolträchtigkeit und sinken zu Klischees ab, deren Bedeutung klar fixiert werden kann.

Für van Hoddis sind die Farbmetaphern keine beliebigen Versatzstücke. Er verwendet sie sparsam und beschränkt sie fast ausschließlich auf helle Farben, vor allem auf Weiß. Diese Tatsache beweist, daß er einem bestimmten Zwang gehorcht. In der Abhandlung «Zur Farbenlehre» umreißt Goethe das Wesen der weißen Farbe folgendermaßen: «Man könnte den zufällig undurchsichtigen Zustand des rein Durchsichtigen Weiß nennen, so wie ein zermalmtes Glas als ein weißes Pulver erscheint [112].» Mit diesem Erklärungsversuch ist die Bedeutung des Weiß bei van Hoddis vorausgedeutet. Die äußere Realität ist für ihn durchsichtig, vordergründig, nicht ernst zu nehmen. Sein Denken ist ausgerichtet auf etwas hinter den Dingen. Aber das Dahinterliegende entzieht sich ihm, die Durchsicht erreicht kein Ziel. Die «nie gekannten lichten Städte» sind unerreichbar. Deshalb wird die vordergründige, an sich durchsichtige Realität zermalmt wie Glas und erscheint als Weiß.

Diese Deutung reicht noch nicht aus. Denn Weiß hat auch einen optischen Charakter, der unmittelbar anspricht. Weiß sind die Fee und der verzauberte Hirsch im Märchen. In dieser Umgebung drückt es die Zugehörigkeit zu etwas Geheimnisvollem, Wunderbarem aus. Van Hoddis nutzt diesen Bedeutungsgehalt ausschließlich in seinen neuromantischen Gedichten. Weiß ist auch eine Totenhand, ein zu Tode erschrockenes Gesicht. In dieser Verbindung erhält es die Bedeutung von tot, starr, unmenschlich. Das Sonnenlicht, das die menschlichen Augen blendet, ist weiß. Im Zusammenhang damit kann jedes schreckliche Geschehen, welches der menschlichen Aufnahmefähigkeit nicht gemäß ist, als weiß erscheinen. In Döblins Roman «Manas» findet sich ein schöner Beleg dafür. Manas ist ins Totenfeld eingedrungen und hängt sich an eine herumflatternde Seele, die in ihn hineinkriecht:

> «O wie wurden seine Augen aufgehellt,
> Welche Weiße, welche schreckliche, immer weißere Weiße,
> Immer grellere Helle,
> Immer stechendere Grelle.» [113]

Hier ist die Steigerung von Weiß die farblose Grelle, die das Übermaß an Licht ausdrückt. Dieses Wort erscheint mit dem gleichen Sinn bei van Hoddis in «Tristitia ante …».

Das Gegenteil von Weiß ist schwarz, die Dunkelheit der Nacht, die den Mensch in ihre Ruhe aufnimmt. Gerade in Verbindung mit ihr aber erscheint das Weiß bei van Hoddis am eindrücklichsten:

Und goldne Nacht enthülle mich als Traum.

Es muß verruchte Märchengötzen geben,
Die steinern drohen durch den großen Raum.

Und jäh wie Leid, das mein Gehirn zerreißt,
Entströmt die Lust der Nächte allen Bronnen.
Nächte sind weißer von Gedankensonnen
Als je der tiefe Tag im Süden weiß.

Schwärzliche Mauern starren zu den Sternen
Von müden Männern hastig aufgebaute.
Hellgrüne Himmel bersten. Aus den fernen
Vorstädten stößt zu dir das laute
Geschrei der Sklaven, die die Fäuste heben.

Grüße den Schrei! Denn du, weißt du denn jetzt
Ob dich Verzweiflung durch die Straßen hetzt
Oder die Seligkeit zu leben?

Das Gedicht stammt aus der letzten Schaffensperiode van Hoddis'. Es spiegelt alle seine Entwicklungsstufen wider. Schon der äußeren Form nach gehört es zu seinen entscheidenden Situationsberichten wie die Gedichte «Und immer fordernd ...» und «Stadt». Obschon es aus fünfzehn ungleich langen Versen besteht, hat es den Charakter eines Sonetts. Die ersten sieben Verse bilden den ersten, die folgenden fünf den zweiten und die drei Schlußverse den dritten Teil.

Der erste Teil handelt von der inneren Welt des Dichters, von seinem Versuch, in ihr Sicherheit zu finden. Der Anfangsvers ist eine Bitte an die Nacht. Sie ist «golden», d. h. geheimnisvoll und verführerisch, und soll den Dichter als unwirklich, «als Traum», enthüllen. Er will der Realität entfliehen und sich der Nacht als dem Ort der reinen Phantasie hingeben. Dieser Wunsch charakterisiert den jungen, noch unter neuromantischem Einfluß stehenden Dichter. Die folgenden zwei Verse stellen in bereits bekannten Bildern die Mächte dar, welche die Hingabe an die Nacht verunmöglichen. Der Denker im gleichnamigen Gedicht wird von einem Traum aufgefordert, «verderbter Götter Blut» zu erbeuten. Diese Götter erscheinen jetzt als «verruchte Märchengötzen», als leblose Steinfiguren, in denen kein Blut pulsiert. Die Räume, die der Dichter im früheren Gedicht zum Hallen bringt, sind jetzt ein einheitlicher, toter, «großer Raum». Die Hingabe an die innere Welt der Phantasie mißlingt nicht deshalb, weil sich höhere Mächte entgegenstellen, sondern weil diese Mächte tot sind und ihr Reich zu Stein erstarrt ist.

Die folgenden vier Verse zeigen die Unfähigkeit des Dichters, aus dieser Einsicht die Konsequenz zu ziehen und sich vom Bereich der romantischen Phantasie abzuwenden. Er versucht weiterhin, im Bild der Nacht eine geistige Heimat zu finden. Aber die «goldne Nacht» wird zu weißen Nächten. Wie sich in früheren Gedichten das zentrale Bild der Stadt in den Plural «die

74

Städte» verwandelt, so erscheint auch jetzt das Hauptbild in der Mehrzahl. Die Nacht ist nicht mehr das Sinnbild für das glückliche Einssein mit dem Weltgeheimnis, sie verliert ihre Sinnträchtigkeit und wird weiß. Erinnern wir uns der Definition Goethes: Weiß ist der «zufällig undurchsichtige Zustand des rein Durchsichtigen». Bei Novalis ist die Nacht durchsichtig; sie gibt die Durchsicht frei auf das Weltgeheimnis. Für van Hoddis ist sie undurchsichtig; ihr Raum ist erstarrt, ihre Götter sind tote Götzen. Deshalb ist sie weiß. Van Hoddis präzisiert: «Nächte sind weißer von Gedankensonnen.» Bereits im Gedicht «Aus blauen Wunden ...» verbindet er Weiß mit dem Bild der Sonne.

«Zu süß war diese Qual. Dem letzten Leide
Entgegen trieb mich weißer Sonnen Wut.»

Jenes Gedicht schildert einen bestimmten Punkt in einer Entwicklung. Der Dichter ist unterwegs nach dem «letzten Leide». Jetzt, im vorliegenden Gedicht, ist der Endpunkt erreicht. Es zeigt sich, daß die «weißen Sonnen» in van Hoddis selbst beheimatet sind. Sie entpuppen sich als «Gedankensonnen». Im Gegensatz zum geheimnisvollen Mond, der von empfindsamen Menschen aller Zeiten besungen wurde, ist die Sonne der Repräsentant der Hellsichtigkeit, der Luzidität. Die Macht, die den Dichter von der «heiligen, unaussprechlichen, geheimnisvollen Nacht» des Novalis abhält, ist sein eigenes Denken. An die Stelle von Herz, Busen oder Gefühl tritt das Gehirn. Das helle Bewußtsein erhellt die Nacht zum leuchtenden Tag. Da es für van Hoddis offenbar unmöglich ist, dem Bereich der romantischen Phantasie abzusagen, da es ihm aber ebenso unmöglich ist, in ihm eine geistige Heimat zu finden, greift er zwangsläufig zum paradoxen Bild der weißen Nächte, um seine paradoxe Situation darzustellen. Zuvor verwendet er noch einmal das überlieferte Vokabular:

«Und jäh wie Leid, das mein Gehirn zerreißt,
Entströmt die Lust der Nächte allen Bronnen.»

Das Verb «entströmen» und das altertümliche Substantiv «Bronnen» verweisen zurück in die Romantik. Beide Wörter sind aber durch den vorausgehenden Vergleich bereits als illusorisch erwiesen: die Lust ist «jäh wie Leid». Solche Paradoxa erscheinen im ganzen Werk van Hoddis'. Im «Perseus» verspricht er sich die einzig befriedigende Lust vom Todesgrauen. Der Abenteurer im gleichnamigen Gedicht will «ungemeßne Pein der Lust vermählen». Im Gedicht «Aus blauen Wunden ...» beginnt der siebte Vers: «Zu süß war diese Qual.» Aus diesen Formulierungen spricht eine merkwürdige Lust an der eigenen Qual. Sie war einer der Gründe dafür, daß sich der Dichter nie entscheidend vom romantischen Gedankengut lösen konnte.

Paradox ist auch der Aufbau des ganzen Gedichts. In den ersten sieben Versen handelt es vom Versuch, der äußeren Realität zu entfliehen. Der zweite

Teil, Vers acht bis zwölf, schildert ausschließlich diese Realität. Von der steinernen, toten Welt der Phantasie wendet sich van Hoddis wieder der Großstadt zu. Er schildert sie als zeitlosen, verfluchten Ort. Die Mauern sind «schwärzlich» wie nach einer Feuersbrunst. Ihr «Starren» bezeichnet ihre steinerne Unmenschlichkeit. Die Menschen, die in ihnen wohnen, sind «müde» und handeln «hastig», wie wenn ihnen der Untergang nahe bevorstünde. Der Gedanke des Weltendes taucht auf. Der Himmel erscheint in der Mehrzahl als «hellgrüne Himmel». Sie sind ein Begriff aus der Theologie und bezeichnen ein göttliches Ordnungssystem. Durch die hellgrüne Farbe sind sie ins Unwirkliche verfremdet. Sie «bersten»: die göttliche Ordnung bricht auseinander. Die Menschen, moderne Arbeitermassen, sind ins Überzeitliche gesteigert und heißen «Sklaven». Ihre drohende Geste zeigt die nahe Revolution an.

Im dritten Teil, den letzten drei Versen, beantwortet der Dichter die Frage, wie er sich dieser Realität gegenüber verhalten soll, mit dem Ausruf: «Grüße den Schrei!» Diese Aufforderung meint nicht eine Übereinstimmung mit der revolutionären Gesinnung der Arbeiter, sondern der Schrei ist die adäquate Ausdrucksform des von totaler geistiger Unsicherheit gequälten Dichters. Er weiß nicht einmal, ob er verzweifelt oder selig ist. Der Schluß nimmt noch einmal die Antithese auf, die der erste Teil im Gegensatz Leid–Lust formuliert.

Das Gedicht erbringt den Beweis, daß das große Thema van Hoddis', die Zerstörung der Realität, der Weltuntergang, nicht primär ist, sondern die Folge des mißlungenen Versuchs, der vordergründigen Realität zu entfliehen. Van Hoddis ist kein sozial engagierter Dichter, wie das offenbar die Meinung von Else Lasker-Schüler war, sondern ein reiner Mystiker. Er zerstört die Realität, weil er trotz allen Versuchen, über sie hinauszukommen, auf sie zurückgeworfen wird. Zuletzt verliert er jede intensive, klare Beziehung zu ihr.

Das zeigt sich auch in der Sprache. In seinen letzten, zum Teil wirren Gedichten läßt er sich häufig von sprachlichen Assoziationen leiten. Seine Verse werden von Reimwörtern bestimmt, denen er blindlings folgt. Klang und Alliteration erhalten eine hervorragende Bedeutung. Der Sinn verliert an Gewicht, die Sprache macht sich selbständig.

Im vorliegenden Gedicht ist die Aussage noch klar faßbar. Aber der zweite Teil zeigt schon Ansätze zur Souveränität der Sprache, allerdings in meisterhaft gebändigter Form. Seine Entwicklung wird bestimmt durch Alliteration und Assonanz: schwärzliche, starren, Sternen, Vorstädten, stößt; hastig, bersten, Fäuste; Mauern, müden Männern; hellgrüne Himmel; fernen Vorstädten. Es ist erstaunlich, daß die Präzision der Aussage unter dieser Häufung nicht leidet.

c) Das Gedicht «Weltende» und seine Wirkung

Das Bewußtsein, in einer Endzeit zu leben, ist ein durchgehendes Kennzeichen der expressionistischen Dichtung. Heym redet in seiner Prosaskizze «Eine Fratze» nicht nur von sich, sondern von seiner Generation: «Unsere Krankheit ist, in dem Ende eines Welttages zu leben.» Viele seiner Gedichte haben den Gedanken des Weltuntergangs zum Thema («Der Gott der Stadt», «Die Dämonen der Städte», «Umbra Vitae», usw.). Das Weltende ist nach Kurt Mautz «eines der wesentlichsten Motive der gesamten expressionistischen Lyrik»[114]. Ein Blick auf die Titel der Schriftenreihen, Zeitschriften und Anthologien jener Zeit beweist dies. Sie heißen «Der jüngste Tag», «Der rote Hahn», «Umsturz und Aufbau», «Der Sturm», «Die Aktion», «Revolution», «Der Orkan», «Der Mistral», «Die Pleite», «Der Schrey», «Der blutige Ernst», «Der Sturmreiter», «Der Feuerreiter», «Fanale», «Flut»[115]. Else Lasker-Schüler schrieb schon 1907 ein Gedicht mit dem Titel «Weltende»[116]. Brecht prophezeite im Anhang seiner 1926 erschienenen «Taschenpostille»: «Von diesen Städten wird bleiben: der durch sie hindurchging, der Wind![117]»

Das berühmteste aller dieser Gedichte ist das «Weltende» van Hoddis'. Es erschien am 11. Januar 1911 in der zweiten Nummer der Berliner Wochenschrift «Der Demokrat», deren Redaktor Franz Pfemfert noch im gleichen Jahr die «Aktion» gründete. Die Wirkung dieses Gedichts war ungeheuer und ist heute kaum mehr vorstellbar. Johannes R. Becher nennt es in seinem Roman «Der Abschied» die «Marseillaise der expressionistischen Rebellion»[118] und beschreibt seine Wirkung folgendermaßen: «Meine poetische Kraft reicht nicht aus, um die Wirkung jenes Gedichtes wiederherzustellen, von dem ich jetzt sprechen will. Auch die kühnste Phantasie meiner Leser würde ich überanstrengen bei dem Versuch, ihnen die Zauberhaftigkeit zu schildern, wie sie dieses Gedicht «Weltende» von Jakob van Hoddis für uns in sich barg. Diese zwei Strophen, o diese acht Zeilen schienen uns in andere Menschen verwandelt zu haben, uns emporgehoben zu haben aus einer Welt stumpfer Bürgerlichkeit, die wir verachteten und von der wir nicht wußten, wie wir sie verlassen sollten. Diese acht Zeilen entführten uns. Immer neue Schönheiten entdeckten wir in diesen acht Zeilen, wir sangen sie, wir summten sie, wir murmelten sie, wir pfiffen sie vor uns hin, wir gingen mit diesen acht Zeilen auf den Lippen in die Kirchen, und wir saßen, sie vor uns hinflüsternd, mit ihnen beim Radrennen. Wir riefen sie uns gegenseitig über die Straße hinweg zu wie Losungen, wir saßen mit diesen acht Zeilen beieinander, frierend und hungernd, und sprachen sie gegenseitig vor uns hin, und Hunger und Kälte waren nicht mehr[119].» Neben diesen emphatischen Sätzen gibt es auch Würdigungen, die das «Weltende» in sachlicher Art an den Beginn der neuen Dichtung stellen. Kurt Hiller schreibt in seiner Erinnerungsschrift «Begegnungen mit Expressionisten»: «Sein berühmtes Gedicht «Weltende», womit tatsächlich die «fortgeschrittene» oder «expressionistische» Lyrik eröffnet worden ist, kannte ich lange, bevor Franz Pfemfert es druckte [120].» Gottfried Benn bezeugt in seiner Rede «Probleme der Lyrik»: «Den Beginn der expressionistischen Lyrik in Deutschland rechnet man von dem Erscheinen des Gedichts ‚Dämmerung' von Alfred Lichtenstein, das 1911 im Simplizissimus stand, und von dem Gedicht ‚Weltende' von Jakob van Hoddis, das im gleichen Jahr erschien [121].» Das Verhältnis zwischen diesen beiden Dichtern sah Franz Pfemfert schon 1913 richtiger: «Ich glaube also, daß van Hoddis das Verdienst hat, diesen ‚Stil' gefunden zu haben, Lichtenstein das geringere, ihn ausgebildet, bereichert, zur Geltung gebracht zu haben [122].»

Wenn Kurt Hillers Aussage, er habe das Gedicht lange vor Erscheinen gekannt, stimmt, so ist es spätestens 1910 entstanden. Aus dem übrigen Werk des Dichters heraus läßt es sich nicht datieren, da es in jeder Beziehung eine Ausnahme darstellt. In keinem anderen Gedicht konnte sich van Hoddis so von seiner eigenen Person und von der traditionellen Bilderwelt lösen wie in «Weltende». Gerade die absolute Sachlichkeit macht es zu einem der bekanntesten expressionistischen Gedichte.

Weltende

Dem Bürger fliegt vom spitzen Kopf der Hut,
In allen Lüften hallt es wie Geschrei,
Dachdecker stürzen ab und gehn entzwei
Und an den Küsten – liest man – steigt die Flut.

Der Sturm ist da, die wilden Meere hupfen
An Land, um dicke Dämme zu zerdrücken.
Die meisten Menschen haben einen Schnupfen.
Die Eisenbahnen fallen von den Brücken.

Die acht Verse entwerfen ein groteskes Bild des Weltuntergangs. Mit Ausnahme der Verse vier bis sechs stellt jeder ein spezielles Ereignis dar, welches mit dem Geschehen der anderen Verse in keinem direkten Zusammenhang steht. Belanglose und wichtige Ereignisse sind ohne Unterschied aufgezählt. Die Zusammenstellung gleichzeitiger, aber voneinander unabhängiger Geschehnisse ist das Konstruktionsprinzip des Gedichts. Einzig die Verse vier bis sechs behandeln das gleiche Motiv. Sie entwickeln das Bild der Sturmflut, die die menschliche Welt und Ordnung wegfegt. Der Dichter sympathisiert mit dieser Naturgewalt. Ihren Einbruch stellt er als ein zeitliches Nacheinander dar: die Flut steigt, der Sturm ist da, die Meere hupfen und zerdrücken Dämme. Die Zerstörungsgewalt ist das einzig Lebendige, ihr Wachsen ist dem Ablauf der Zeit unterworfen.

Im Gegensatz zu den «wilden Meeren» ist die Welt der Menschen tot. Es passieren wohl noch größere und kleinere Unglücksfälle. Aber es gibt keine

Entwicklung und kein Leben mehr. Die Zeit steht still. Selbst die Nachricht von der nahenden Katastrophe bewirkt keine Bewegung. Man liest behaglich davon in der Zeitung.

Die Stagnation der menschlichen Welt zeigt sich auch in der Struktur des ganzen Gedichts. Verschiedene Rezensenten rechnen ihm das plötzliche Abbrechen nach zwei Strophen als Kompositionsschwäche an. Werner Weber stellt fest, daß «das Gedicht nicht fertig ist»[123]. Kurt Mautz meint, «daß der Fragmentcharakter der beiden Vierzeiler eine Kompositionsschwäche ist und nicht durch den Reihungsstil bedingt»[124]. Ein eigentlicher Schluß des Gedichts ist aber unmöglich. Denn er würde auch einen Anfang und eine Entwicklung bedingen. Das aber würde das Thema aufheben. Indem das Gedicht nichts entwickelt und folglich auch keinen Schluß hat, gibt es in großartiger Weise das Bewußtsein der Zeitlosigkeit wieder. Man kann dieses Kompositionsprinzip als Simultanismus bezeichnen. Bereits Johannes R. Becher spricht davon[119]. Dieses Schlagwort stammt aus den Manifesten der futuristischen Maler. Sie verstanden darunter die Technik, einen Gegenstand von allen Seiten zu zeigen oder die Bewegung z. B. eines fahrenden Automobils in ein einziges Bild zusammenzufassen. Diese Technik wurde von Marinetti in sein Programm der futuristischen Dichtung übernommen und gelangte so in den literarischen Expressionismus. Ihr Unterschied zum «Weltende» van Hoddis' ist klar: der Futurismus wollte in erster Linie die Bewegung darstellen, van Hoddis das Gegenteil davon, die Bewegungslosigkeit. Bei ihm ist der Simultanismus keine ausgeklügelte Technik, sondern Thema. Trotzdem wurde das Gedicht als ebenbürtiges deutsches Gegenstück zur futuristischen Kunst gefeiert.

Ein weiterer Grund für die explosive Wirkung des Gedichts ist sein Angriff auf das Bürgertum. Im ersten Vers sahen die Expressionisten ihr politisches Programm ausgesprochen: «Dem Bürger fliegt vom spitzen Kopf der Hut.» Der Bürger, das Angriffsobjekt der jungen, revolutionären Generation, verliert das Zeichen seiner Würde. Sein Kopf, bisher verdeckt vom feierlichen steifen Hut, erweist sich als unförmig. Damit sind seine Gedanken als unbrauchbar entlarvt. Auch die abstürzenden Dachdecker enthalten eine Spitze gegen das Bürgertum. Wie der Hut den spitzen Kopf des Bürgers verstecken soll, so haben die Dachdecker die Aufgabe, das Brüchige und Verkommene der bürgerlichen Welt zu verstecken. Ähnlich nennt Brecht später Hitler einen «Anstreicher», «weil er nur etwas Tünche über die Risse eines baufälligen Gebäudes streicht»[125] und so die Hinfälligkeit der bürgerlichen Gesellschaft verdecken will. Im gesamten ist aber «Weltende» kein klassenkämpferisches Gedicht. Denn der Bürger ist nur eine besondere Art Mensch. Das Weltende betrifft aber alle Menschen: «man» liest davon, «die meisten Menschen» haben Schnupfen.

Der Eigenart des Gedichts ist nur mit einer Untersuchung seiner Sprache nahe zu kommen. Von ihr ging auch die große Wirkung aus. Sie ist neu und revolutionär.

In fast allen wichtigen Gedichten van Hoddis' erscheint die äußere Realität nur am Rand. Sie liefert ihm Motive zur Darstellung seiner inneren Welt. Im «Weltende» ist von dieser Innenwelt vorerst nichts zu entdecken. Es handelt ausschließlich von äußeren Geschehnissen, die alle in der Zeitung unter der Rubrik «Unglücksfälle» aufgeführt sein könnten. Der Dichter gibt vor, Zeitungsstil zu schreiben, knapp, sachlich und ohne innere Beteiligung. Aber obwohl das Gedicht fast ausschließlich aus einfachen Hauptsätzen besteht, die alle an sich klare Vorgänge beinhalten, wird der Leser aufs äußerste beunruhigt. Gewiß sind nicht alle dargestellten Ereignisse alltäglich. Aber die Unruhe geht nicht von ihnen aus, sondern von ihrer Darstellung. Van Hoddis verwendet hier in souveräner Art eine Technik, die Brecht später als Verfremdung bezeichnete. Mit vollständiger Gelassenheit reiht er Ereignis an Ereignis. Jede Anteilnahme und jedes Urteilsvermögen scheinen ihm zu fehlen. Das Geschehen ist unprofiliert und ohne genaue Angaben dargestellt. Ort, Zeit und Ursache lassen sich nicht bestimmen. Fast alle Substantive erscheinen mit dem bestimmten Artikel, der sie als bekannt voraussetzt. In Wirklichkeit sind sie aber dadurch ins Totale verallgemeinert. Dem Bürger heißt: allen Bürgern, die Eisenbahnen: alle Eisenbahnen. Nur in der Darstellung des Sturms hat der bestimmte Artikel seine gebräuchliche Bedeutung. «Die Flut» und «der Sturm» erscheinen als vertraute Größen in der Einzahl. Der unbestimmte Artikel ist nur einmal verwendet: «Die meisten Menschen haben einen Schnupfen.» Hier ist er aber überflüssig und verfremdet so das vertraute und harmlose Ereignis einer Schnupfenepidemie. Zwei Schnupfen kann niemand haben, und es gibt auch nicht verschiedene Schnupfen, welche den unbestimmten Artikel rechtfertigen würden.

Im Gebrauch der Adjektive ist van Hoddis sehr sparsam. Die eigentliche Funktion eines bestimmenden Attributs hat nur das «spitz» im ersten Vers. Es bestimmt den Kopf als unförmig und lächerlich. Daneben finden sich nur noch zwei Adjektive, das «wild» im fünften und das «dick» im sechsten Vers. Beide bestimmen nicht in erster Linie ihr Substantiv, sondern stehen in einem Spannungsverhältnis zu den nachfolgenden Verben. «Wild» verfremdet das Verb «hupfen», «dick» das «zerdrücken». Die «wilden Meere» sollten eher wüten oder stürmen als «hupfen», «dicke Dämme» eher zerschmettert als «zerdrückt» werden.

Die Technik, Wörter aus verschiedenen Bereichen oder mit verschiedenem Gewicht zusammenzustellen, ist uns schon aus einigen früheren Gedichten van Hoddis' bekannt («He!», «Der Oberlehrer»). Hier ist sie mit großartiger Meisterschaft gehandhabt. Die scheinbar sachlichsten und einfachsten Sätze erweisen sich beim näheren Hinsehen als brüchig und nichtssagend. Im zweiten Vers ist «es», das neutralste, unbestimmteste Wort, Subjekt. Das

Geschrei der Leute, das dem Sinn nach eigentlich Subjekt sein sollte, ist durch das Vergleichswörtchen «wie» ins Unfaßbare gesteigert. Das Verb «hallen» ist fehl am Platz. Denn es setzt einen geschlossenen Raum voraus, der ein Geräusch zurückwirft. Im Gedicht «Der Denker» ist das der Fall: «Er bäumte auf, und alle Räume hallten.» Die Ortsbestimmung im «Weltende» lautet aber: «in allen Lüften.» Diese Formulierung heißt soviel wie «überall über der Erde». So ist die Tatsache, daß die Menschen schreien, zu einem unbegreiflichen, der sprachlichen Gestaltung kaum mehr zugänglichen Vorgang verfremdet.

Am deutlichsten zeigt der dritte Vers diese Technik. Die abstürzenden Dachdecker «gehen entzwei». Dieses Verb wird allgemein in Verbindung mit leblosen Dingen gebraucht. Gehn die Dachdecker entzwei, so sind sie zu leblosen Puppen degradiert. Mit ihnen werden alle Menschen zu toten Gegenständen.

Im Gegensatz zu Brecht verwendet van Hoddis die Verfremdung nicht als bewußte Technik, die ein bestimmtes Ziel verfolgt. Vielmehr ist sie für ihn die einzig mögliche Art, die äußere Realität dichterisch zu gestalten. Er redet nur deshalb von ihr, weil ihm jeder transzendente Bezugspunkt fehlt. Da er aber trotzdem immer auf einen solchen Punkt hin ausgerichtet ist, verschlägt es ihm beim Reden über die vordergründigen Dinge die Sprache. Die Welt kann sich ihm nur als untergehende zeigen, nicht wegen ihrer politischen Schwäche, sondern wegen des Fehlens eines transzendenten Bezugspunkts. Vom ganzen Werk des Dichters her gesehen ist das «Weltende» kein politisches Kampfgedicht, sondern der verzweifelte Versuch eines Mystikers, die äußere Realität zu gestalten.

Das zeigt sich auch in seiner metrischen Form. Es besteht aus acht gereimten Blankversen. Gewiß bildet die strenge Metrik einen Gegensatz zum Gedanken des chaotischen Weltuntergangs. Aber auch hier ist nicht in erster Linie an einen bewußten satirischen Willen zu denken. Vielmehr ist die strenge Form der gereimten Blankversstrophe die letzte Zuflucht für den nach Ausdruck ringenden Dichter. Sie erlaubt ihm, das wesentlich Unfaßbare äußerlich zu fassen.

In einem bestimmten Fall läßt sich die Wirkung des Gedichts «Weltende» genau nachweisen, nämlich am Werk Alfred Lichtensteins. Wie van Hoddis war dieser Dichter von jüdischer Abstammung und gehörte zum Kreis um die «Aktion». Bestimmt kannten sich die beiden. Der um zwei Jahre jüngere Lichtenstein schrieb vor allem satirische Kabarettlyrik, die sich mit dem «Varieté»-Zyklus van Hoddis' vergleichen läßt. Seinen Gedichten fehlt aber die geistige Tiefe. Er wurde getragen von der expressionistischen Bewegung. Als einzelner Dichter ist er nicht sehr interessant, wohl aber als typischer Vertreter jener Berliner Künstler aus der Zeit vor dem Ersten Weltkrieg, die freche Gedichte schrieben und so die Welt revolutionieren wollten. Mit vielen seiner Zeitgenossen teilte er das Schicksal eines frühen Todes im Krieg. Was von ihm vorliegt, ist Jugendlyrik und hält deshalb strengen Maßstäben nur selten stand. Auch van Hoddis schrieb nach 1914 nichts Nennenswertes mehr. Bei ihm war aber das Abbrechen der künstlerischen Produktion kein Zufall, sondern zwangsläufige Entwicklung. Im Gegensatz zu Lichtenstein hatte er bei seinem Verstummen bereits sein Bestes gegeben.

Das bekannteste Gedicht Lichtensteins ist «Die Dämmerung». Es erschien am 18. März 1911 im «Sturm» und hatte eine ähnlich große Wirkung wie das «Weltende» van Hoddis', welches rund zwei Monate früher veröffentlicht worden war.

Die Dämmerung

Ein dicker Junge spielt mit dem Teich.
Der Wind hat sich in einem Baum gefangen.
Der Himmel sieht verbummelt aus und bleich,
Als wäre ihm die Schminke ausgegangen.

Auf lange Krücken schief herabgebückt
Und schwatzend kriechen auf dem Feld zwei Lahme.
Ein blonder Dichter wird vielleicht verrückt.
Ein Pferdchen stolpert über eine Dame.

An einem Fenster klebt ein fetter Mann.
Ein Jüngling will ein weiches Weib besuchen.
Ein grauer Clown zieht sich die Stiefel an.
Ein Kinderwagen schreit und Hunde fluchen.

Zu diesem Gedicht schrieb Lichtenstein eine «Selbstkritik», die 1913 in der «Aktion» erschien [126]. In einer Fußnote dazu wies Franz Pfemfert auf die direkte Beziehung der «Dämmerung» zum «Weltende» van Hoddis' hin: «Man erinnere sich des schönen ‚Weltende‘ des Jakob van Hoddis. Tatsache ist, daß Alfred Lichtenstein dies Gedicht gelesen hatte, bevor er selbst ‚Derartiges‘ schrieb. Ich glaube also, daß van Hoddis das Verdienst hat, diesen ‚Stil‘ gefunden zu haben, Lichtenstein das geringere, ihn ausgebildet, bereichert, zur Geltung gebracht zu haben [122].» Diese Bemerkung wird durch die «Selbstkritik» Lichtensteins bestätigt. In ihr unternimmt er den Versuch, am Beispiel der «Dämmerung» eine neue Theorie der Lyrik zu entwickeln. Er wendet sich gegen die Maler, die «ideeliche Bilder» malen wollen, und macht sich über die «Futuristenmanschepansche» lustig. Sein Programm umfaßt zwei Hauptpunkte: «Absicht ist, die Unterschiede der Zeit und des Raumes zugunsten der Idee zu beseitigen.» «Absicht ist weiterhin, die Reflexe der Dinge unmittelbar – ohne überflüssige Reflexionen aufzunehmen.» Welche «Idee» künstlerisch bewältigt werden soll, verschweigt Lichtenstein. Seine Theorie erschöpft sich in lauter Verneinungen. Was übrigbleibt, ist reine Optik, die sich mit derjenigen der impressionistischen Maler vergleichen läßt.

Beide Hauptpunkte sind vom «Weltende» van Hoddis' abgeleitet. In diesem Gedicht sind die Zeit- und Raumunterschiede beseitigt und die Geschehnisse ohne Reflexionen dargestellt. Aber damit ist seine Eigenart nicht erschöpfend geklärt. Dem «Weltende» liegt tatsächlich eine «Idee» zu Grunde: das Fehlen einer wertsetzenden Instanz und die tödliche Zeitlosigkeit der modernen, bürgerlichen Welt. Die meisten Gedichte Lichtensteins sind dagegen reine Impressionen.

Seine berühmte «Dämmerung» schildert, was sich am Abend alles begibt. Die einzelnen Ereignisse haben nur die Gleichzeitigkeit gemeinsam. Sie ließen sich beliebig erweitern. Ihre Reihenfolge ist zufällig. Verse und Strophen sind vertauschbar. Es gelingt dem Dichter nicht, die «Idee» oder das Wesen der Dämmerung auszudrücken. Der Titel könnte ebensogut «Sonntagmorgen» oder sonstwie lauten.

Das Gedicht wurde vor allem durch seine neuartige Darstellungstechnik bekannt. Sie verfremdet das alltägliche Geschehen ins Groteske. Im «Weltende» ist die verfremdende Darstellung eine Folge der Unmöglichkeit, die äußere Realität als endgültig anzuerkennen. In der «Dämmerung» beruht sie auf der neuen Sehweise. In seiner «Selbstkritik» führt der Dichter aus: «Lichtenstein weiß, daß der Mann nicht am Fenster klebt, sondern hinter ihm steht. Daß nicht der Kinderwagen schreit, sondern das Kind in dem Kinderwagen. Da er nur den Kinderwagen sieht, schreibt er: Der Kinderwagen schreit. Lyrisch unwahr wäre, wenn er schriebe: Ein Mann steht hinter einem Fenster.» Lichtenstein versucht, seine Umgebung mit den Augen eines Primitiven zu sehen. Er beschreibt nur, was er sieht und hört. Was er weiß, schiebt er als «überflüssige Reflexionen» beiseite. Man könnte diese Technik als primitive Optik bezeichnen. Georg Heym schreibt 1910 in einem Brief über van Gogh: «Nur: daß Malen sehr schwer ist. Und Dichten so unendlich leicht, wenn man nur Optik hat. Wobei nur gut ist, daß das so wenige wissen [127].» Lichtenstein war offenbar einer dieser Wenigen. Er schrieb Dutzende von Strophen, in denen alltägliche Dinge und Ereignisse auf eine neue Art gesehen und dargestellt sind und die sich alle gleichen. Die letzten zwei Verse des Gedichts «Nachmittag, Felder und Fabrik» beschreiben die Sonne, die eben über einem Kamin steht:

> «Die Sonne, eine Butterblume, wiegt sich
> Auf einem Schornstein, ihrem schlanken Stiele.» [128]

Kamin und Sonne sind als Stiel und Blüte einer Butterblume gesehen. Gewiß ist diese Sehweise faszinierend. Aber der Dichter bleibt bei der bloßen Impression stehen. Die verfremdende Darstellung ist bei Lichtenstein eine übernommene und zur Meisterschaft entwickelte Technik. Im «Weltende» hingegen ist sie die letztmögliche Aussageart eines um Ausdruck ringenden Dichters.

Viertes Kapitel

DIE SPRACHE ALS DIE LETZTE ORDNUNG
UND IHR ZUSAMMENBRUCH

a) Die religiöse Lyrik van Hoddis'

1911 begann sich die geistige Erkrankung van Hoddis' merklich abzuzeich-
nen. Wie Loewenson von ihm berichtet, verschlechterte sich sein Verhältnis
zur Mutter, von der er nicht nur finanziell abhängig war, zusehends. Er verließ den vertrauten Künstlerkreis in Berlin und führte ein unstetes Bohémien-
leben, das durch vorerst kurze Aufenthalte in verschiedenen Nervenkliniken
unterbrochen war. Anfang 1911 verreiste er mit der Puppenschöpferin Lotte
Pritzel, der «größten Liebe in seinem Leben» [129], nach München. Im Juni
kehrte er nach Berlin zurück, wo er zurückgezogen lebte. 1912 begab er sich
wieder nach München, trat im September in ein Sanatorium bei Münster ein,
verließ es kurz darauf und kam nach Berlin zurück, von wo er auf Veranlassung seiner Familie gewaltsam in eine Irrenanstalt bei Nicolasee entführt
wurde. Von hier konnte er Anfang Dezember entfliehen und lebte abwechselnd in Berlin, Heidelberg, Paris und München. 1914 verschwand er endgültig aus der Öffentlichkeit.

Schon diese äußeren Stationen seines Lebens zeigen, daß er jede Sicherheit und jeden Halt verlor. Es ist wegen des Mangels an präzisen Dokumen-
ten unmöglich, seine genaue Biographie zu schreiben. Von wenigen Ausnahmen abgesehen bildet sein dichterisches Werk die einzige Quelle. Es stellt
aber ausschließlich die geistige Entwicklung dar. Ob van Hoddis seine Gedichte in Berlin, München oder Paris schrieb, ist ihnen nicht anzumerken.
Diese Frage spielt auch keine Rolle. Denn wichtig ist vor allem der innere
Weg des Dichters, und dieser war von den äußeren Umständen unabhängig.

Aus der unsicheren, ja paradoxen geistigen Situation, die in den von 1909
bis 1911 entstandenen Gedichten sichtbar ist, versuchte van Hoddis, in ein
festes System zu fliehen. Wie ein Jahrhundert vor ihm Brentano und später
Alfred Döblin konvertierte er zur katholischen Konfession. Der leitende Arzt
des Kurhauses Wolbeck, in dem der Dichter Ende 1912 Heilung suchte,
berichtet, daß dieser kurz vor Eintritt in die Klinik Katholik geworden und
«von einer übersteigerten Gläubigkeit» gewesen sei [130]. Ende Januar 1913
schrieb van Hoddis an Loewenson: «Viele Gedanken, die in den Systemen
als abgründiger Tiefsinn erscheinen, ordnen sich in der Religion kindhaft
einfach. Deswegen wurde ich Katholik. Und unsatanisch heilig. Sie sind kein
Kreuz mehr, an das ich als leidender Gott geheftet bin ... [131]» Von seinen abgründigen Gedanken also, von den grellen «Gedankensonnen» [132], suchte er

Erlösung. Seine selbstquälerische Luzidität drohte ihn zu zerstören. Im Schoß der katholischen Kirche, die alles «kindhaft einfach» ordnet, hoffte er Rettung vor seinem Dämon zu finden. Es gelang ihm nicht. Bereits im März 1913 schrieb er aus München: «Mein Judentum (übrigens) bricht wieder durch. Der Katholizismus war nur ein Abenteuer[133].» Es ist kaum zu entscheiden, ob seine Hingabe an die Religion am Mißverstehen der katholischen Heilslehre, an seiner Geisteskrankheit oder an seinem «Judentum» scheiterte. Ganz konnte sich van Hoddis nie mehr vom katholischen Gedankengut lösen. Sein Jugendfreund David Baumgart berichtet, daß der irre Dichter noch über ein Jahrzehnt später Augustins «Confessiones» mit sich herumtrug[134].

Sein intensivstes Ringen um den katholischen Glauben fällt in das Jahr 1912. Es fand seinen Niederschlag in einem guten Dutzend religiöser Gedichte. Zu einem Teil sind es belanglose Nachahmungen der traditionellen christlichen Lyrik. Im Gedicht an Maria und vor allem im «Jesuslied» gelang es van Hoddis nicht, seine intensive, eigene Problematik zur Sprache zu bringen:

Jesuslied

Er ist der Königstraum der Welt
Denn überall entbrennt sein Opfertod.
Auf Bergen brennt es und die Sterne hellt
Mit Flammenschrift die Kunde seiner Not.

Sieh die Allee im herbstlich roten Laub!
Aus seiner Wunde floß die bunte Pracht,
Die Straßen zieh und durch der Städte Staub:
Von seinen Wunden stöhnet ihre Nacht.

Und sind wir auch zerfetzt und bettelarm
Und alle Menschen sehn uns böse an,
Wir fühlen klein uns nur vor seinem Harm
Für ihn ertragen wir den Schimpf und Bann.

Wenn Abend uns aus hellen Dörfern treibt,
Wir Komödiantenpack und Bauernspott.
Und wenn uns auch kein warmes Plätzchen bleibt,
Wir lieben doch den schmerzenreichen Gott.

Der Dichter erklärt sich identisch mit einer Gruppe auserwählter Rechtgläubiger. Die Mehrzahl «wir» zeigt, daß er nicht zu seiner individuellen Situation vorzustoßen vermag. Er schildert sein Schicksal im traditionellen Bild des gesellschaftlich Verfemten, der nur seinem Gott gehorcht. Ausdrücke wie «Harm», «Schimpf und Bann», «Komödiantenpack und Bauernspott» und «kein warmes Plätzchen» stammen aus der gefühlsbetonten Gartenlaube-Religiosität des Bürgertums und entsprechen der tatsächlichen, tragischen Situation des Dichters in keiner Weise. Einzig in der zweiten Strophe findet er ein eigenes, dem Thema angemessenes Vokabular. Sie bringt die Realität der Großstadt, ihre herbstlichen Straßen und ihren Staub, in direkten Bezug zu Christus. Sie zeigt auch, wie unermeßlich schwierig es für van Hoddis war, Christus mit der modernen Realität zu integrieren. Die direkte Beziehung von Christi Wunden mit der herbstlichen Pracht der Bäume und der nächtlichen Stadt ist unglaubwürdig.

Der andere Teil seiner religiösen Lyrik besteht aus sehr persönlichen, zum Teil ketzerischen Gedichten, in denen er direkt und in eigenen Bildern sein religiöses Ringen darstellt. Sie stehen jeder sentimentalen Schwärmerei fern und beweisen, daß der Versuch, im Katholizismus Rettung zu finden, tödlich ernst war. Sie zeigen alle das Scheitern dieses Versuchs. In diesen Gedichten verwendet der Dichter wieder seine eigene Bilderwelt und vermengt sie in oft unklarer Weise mit christlichem Gedankengut. Die Syntax ist häufig undurchsichtig. Es gilt, dieser Lyrik sehr behutsam zu begegnen.

Die Religiosität van Hoddis' war von Anfang an kein zufriedenes, glückliches Einssein mit der Welt. Er versuchte im Gegenteil, in der Religion die Welt hinter sich zu lassen. Sein Eifer zielte auf die Vereinigung mit Gott. Einige seiner Formulierungen erinnern deutlich an die Texte der altdeutschen Mystik. Wahrscheinlich war ihm selber diese Beziehung nicht bewußt.*

Klage

Wird denn die Sonne alle Träume morden,
Die blaßen Kinder meiner Lustreviere?
Die Tage sind so still und grell geworden.
Erfüllung lockt mit wolkigen Gesichten.
Mich packt die Angst, daß ich mein Heil verliere.
Wie wenn ich ginge, meinen Gott zu richten.

In den ersten drei Versen schildert der Dichter in seinen bekannten Bildern seine verzweifelte Situation: die Sonne mordet seine Träume, die Tage sind grell. Im vierten Vers erscheint eine neue Möglichkeit: «Erfüllung lockt mit wolkigen Gesichten.» Auf dem alten Weg zur «unio mystica», in der Vision, hofft van Hoddis Erlösung von der Welt zu finden. Er hat aber Angst, in den «Gesichten» sein «Heil» zu verlieren und damit seinen «Gott zu richten». Diese intime Verbundenheit mit Gott befremdet zuerst. In der alten Mystik ist aber die gegenseitige Bedingtheit von Gott und Mensch ein grundlegender Gedanke. Meister Eckhart schreibt, wenn er selber nicht wäre, wäre Gott nicht Gott. **

Noch extremer formuliert Angelus Silesius:

«Ich weiß, daß ohne mich Gott nicht ein Nu kann leben;
Werd ich zu nicht, er muß von Not den Geist aufgeben.» 136

---

* Erst einige Jahre später wurden die alten mystischen Texte von den Dadaisten hervorgeholt und im «Cabaret Voltaire» vorgetragen.
** «daz got got ist, des bin ich ein sache; enwêre ich niht, sô enwêre got niht got 135.»

Dieser Gedanke liegt auch dem letzten Vers der «Klage» zugrunde. Nur ist für van Hoddis die mystische Vereinigung kein glückliches Einssein mit Gott, sondern eine gegenseitige Zerstörung. Deshalb fürchtet er die einende Vision.

Im etwas später entstandenen Gedicht «Das Dunkel rauscht, um Gottes Lob zu künden», betet er, daß der Gott von ihm ablasse:

> «Ich bete, während grauenvoll die Hände
> Ein Gott um meine nackte Seele flicht –
> Ich bete, daß der Gott sich von mir wende.»

Der Ausdruck «ein Gott» zeigt, daß hier nicht mehr der eine, allmächtige Herrscher gemeint ist. Vielmehr scheint es ein böser Dämon zu sein, der den Dichter auf schreckliche Art heimsucht. Die merkwürdige Wandlung vom christlichen Gott zum schrecklichen Dämon entspricht einer sich immer wiederholenden Entwicklung im Werk des Dichters. So verändert sich die faszinierende Großstadt zu «fahlen Höllenstädten», so entwickelt sich die «Nacht der schweren dröhnenden Gedankenpränge» in «Nächte der grellen Fäule und Verdammnis». Immer wird das zuerst Dunkle, traumhaft Bergende zum Hellen, tödlich Drohenden. Das Farbadjektiv «weiß», das jeweils den Endpunkt dieser Entwicklung illustriert, erscheint auch in der religiösen Lyrik an entscheidender Stelle:

> Sein Haus so hoch, behäbig überdacht
> Haßt du zu tief, das dich getröstet hätte –
> Des weißen Heiles feuchte Rosenkette
> Umwand das Tor mit ganz besondrer Pracht.
>
> Durch Staub und Gneis die sonnenträgen Meilen
> Gehst du allein mit zweifelhaftem Stolz,
> Durch Schattentäler, wo die Wunder weilen,
> Wo arger Traum dein lautes Denken schmolz.

In der ersten Strophe schildert van Hoddis sein Verhältnis zur Kirche. Er weiß, daß sie ihn hätte trösten können. Aber er «haßt» sie. Einen direkten Grund gibt er nicht an. Obschon die Verse drei und vier mit keiner kausalen Konjunktion mit den zwei ersten verknüpft sind, stehen sie in einem kausalen Verhältnis zu ihnen. Sie enthalten den Grund des Hasses: der Eingang in die Kirche ist umwunden mit «des weißen Heiles feuchter Rosenkette». Diese Formulierung ist ähnlich aufgebaut wie «die helle Brunst der Städte», «der Prunk der weißen Huren», «die Nacht der weißen Rosen» usw. Sie ist eine der Hauptfiguren van Hoddis' und begründet sein religiöses Scheitern. Der Ausdruck «Rosenkette» ist wohl vom Rosenkranz evoziert; vielleicht spielt auch die Vorstellung einer Rosengirlande mit. Ihre Feuchtigkeit erinnert an Tränen und Schweiß. Es ist nicht nötig, die beiden Wörter erschöpfend aus der Realität zu begründen. Denn sie verlieren durch ihr Attribut, das «weiße Heil», ihren Realitätscharakter. «Heil» ist ein christlicher Begriff und bedeutet Errettung von der sündigen Welt. Der Ausdruck erscheint auch in der «Klage»: «Mich packt die Angst, daß ich mein Heil verliere.» Im vorliegenden Gedicht ist das Heil «weiß». Wie in früheren Gedichten die «heilige, unaussprechliche, geheimnisvolle Nacht» des Novalis weiß wird, so erscheint auch jetzt das angestrebte Ziel, das Heil, als weiß. Der gleiche Grund, der den Dichter vom romantischen Bereich der Nacht abhält, verhindert auch seine Hingabe an den heilbringenden Glauben. Seine dämonische Hellsichtigkeit wirft ihn immer wieder auf sich selbst zurück. Jeder außer ihm liegende Bereich, in dem er sich bergen will, erweist sich vor seinem abgründigen Denken als leblos und unmenschlich, als weiß. Auch die Religion bietet ihm keine Möglichkeit, die vordergründige Realität zu überwinden, auch sie gibt keine «Durchsicht» zum Wesentlichen hinter den Dingen frei. Schon beim Eintritt in das heilversprechende Gebäude erkennt er, daß sein Versuch scheitern wird. Gerade die Gedanken, von denen er in der Religion, die alles «kindhaft einfach» ordnet, Befreiung erhofft, verhindern seine Erlösung. Die zweite Strophe schildert seinen Zustand nach dem mißglückten religiösen «Abenteuer». Er schwankt zwischen «sonnenträgen Meilen» und «Schattentälern». Die ersten zwei Verse beschreiben die lichtdurchflossene Landschaft seines Denkens. Er weiß um die gefährliche Hybris seines Geistes, seinen Stolz nennt er «zweifelhaft». Der zweite Weg, der dem ersten nicht entgegengestellt, sondern als weitere Möglichkeit beigeordnet ist, führt durch «Schattentäler». Hier herrschen «Wunder» und «Traum», Begriffe, die aus dem neuromantischen Bereich stammen. Der Traum ist «arg», d. h. arglistig und falsch. Er zerstört das klare Denken, bietet aber keinen Ersatz. Immer noch schwankt der Dichter zwischen dem Bereich der romantischen Phantasie und der modernen, klaren Realität. Die beiden Pole bilden aber keine Antithese mehr. Sie sind einander als gleichwertig nebengeordnet. Die Synthese bleibt aus. Von dieser Position führt kein Weg weiter.

Obschon van Hoddis sich bald vom Katholizismus abwandte, verschwand das Wort «Gott» nicht mehr aus seiner Lyrik. Noch sein letztes Gedicht endet mit den zwei Versen:

> «Trompetenstöße vom verfluchten Berge —
> Wann sinken Land und Meer in Gott?» [137]

In dieser Frage ist Gott nicht mehr der christliche Heiland, der durch seinen Opfertod die sündigen Menschen erlöst. Er greift nicht ein, sondern ruht als unnahbarer, allesumfassender Urgrund der Welt. Eine Vorstufe zu dieser letzten Sicht ist das Gedicht «Morgentraum»:

Und auf den Straßen tönt der Schrei des Riesen
Durch Kinderlärmen und den Sturmgesang
Der Telegraphendrähte. Horch! Er brüllt.
Wie Wagenrasseln tönt sein Ruf zum Kampf.

Zum Kampf mit ihm, um den die Engel weinen?
Das Opferlamm, des Blut die Welt verhüllt,
Daß alle Sonnen nur verdrossen scheinen?

Und des Planeten Antlitz taucht jetzt auf
Mit schmutzigem Haar, vom Fiebertraum entzahnt,
Und heisrer Atem fauchend übers Meer
Sich Schmerzenswege auf zum Himmel bahnt.

Dann siehst du Menschen wie in Kerkern wohnen,
In Zimmern hockend, jedem Blick bedrängt.
Der Horizont ist mit Geschrei verhängt.
Doch Lachen schallt von goldnen Wolkenthronen.

Und Markt und Straßen, wo die Wagen rasseln,
Der Ruf des Riesen mahnend überquert.
Wie Mittagswut und tausend Flammen prasseln.
Und kalt und blutig naht dir Gottes Schwert.

Der Titel meint nicht mehr den neuromantischen Bereich der unverbindlichen Phantasie. Wie in einem Angsttraum kommen hier die tatsächlichen Verhältnisse und geistigen Kämpfe van Hoddis' zur Sprache. Der Aufbau des Gedichts ist ziemlich verworren. Die lineare, klare Gedankenführung der Werke, die um 1910 entstanden, weicht einer vielschichtigen, verschlungenen Struktur. Die letzte Strophe ist reichlich unklar. Diese Mängel werden aber durch einige großartige Bilder und durch die wuchtige, kompakte Sprache wettgemacht.

Die erste Strophe ist beherrscht von einem mythisch gesehenen «Riesen». Wie in Heyms Gedicht «Der Gott der Stadt» [138] ist er der große Zerstörer. Sein Angriffsziel ist in der zweiten Strophe fragend angedeutet: es ist der gekreuzigte Christus. Die zwei Gegner verkörpern den alten Dualismus Gott–Teufel. In den nächsten zwei Strophen wendet sich van Hoddis von ihrem Zweikampf ab und redet von der Erde. Sie erscheint nicht als Zentrum der Welt, sondern als «Planet», als einer der vielen Himmelskörper. Sie ist verkommen, schmutzig und greisenhaft. Ihre Verbindung mit dem Himmel ist nur noch mühsam auf «Schmerzenswegen» möglich. Die Menschen sind auf der Erde gefangen. Sie kommen in ihrem Versuch, zu Gott zu gelangen, nicht über ihr eigenes Geschrei hinaus. Denn Gott hat sich von der Erde abgeschlossen, schlimmer noch, er lacht über die menschlichen Bemühungen, ihn zu erreichen.

Van Hoddis steigert seine geistige Situation ins Kosmische. Sein Ringen um eine erfüllte Transzendenz ist nicht mehr nur sein persönlicher Kampf,

mit ihm scheitert die ganze Erde. In dieser Steigerung gelingen ihm die großartigen Verse der dritten Strophe.

Die letzte Strophe läßt sich nur mühsam dem Gedankengang des ganzen
Gedichts einfügen. Wie die zwei ersten handelt sie wieder von Gott und
Teufel. Von einem Kampf zwischen ihnen ist nicht mehr die Rede. Viel-
mehr scheinen sie beide den Mensch zu zerstören. Im Weltenbrand, dessen
Ursache wohl in der Verführung des Menschen zum Kampf liegt, greift Gott
doch wieder in die Welt ein, allerdings als zorniger Rächer, wie ihn das
Alte Testament schildert. Er bleibt Sieger über den «Riesen». Der Preis dafür
ist aber der Weltuntergang. Dieser Schluß ist der mißglückte Versuch, den
Kampf des Riesen mit Christus und die verzweifelte Situation des Menschen
zusammenzubringen. Das dialektische Grundmuster versagt, die Synthese
gelingt nicht. Denn die beiden Thesen stehen absolut beziehungslos nebeneinander.

Im «Morgentraum» ist die christliche Religion keine Möglichkeit mehr,
aus der Vordergründigkeit der Welt zu entfliehen. Gott ist nicht der Erlöser,
sondern der allmächtige, sich nicht kümmernde Herrscher. Wieder ist die
Folge der mangelnden Beziehung zur Transzendenz, in diesem Fall zu Gott,
der Weltuntergang. Seine Gestaltung ist allerdings bei weitem nicht so großartig wie in «Weltende». Eindeutig redet nur der zweitletzte Vers davon. Er
besteht aus einer Ellipse: «Wie Mittagswut und tausend Flammen prasseln.»
Der Vergleich am Anfang erinnert an den letzten Vers der «Klage»: «Wie
wenn ich ginge, meinen Gott zu richten.» Beidemal entzieht sich der Vorgang dem sprachlichen Zugriff. Die Sprache ist nicht mehr genügend präzis. Der Dichter weicht in den Vergleich aus: es ist, wie wenn ... In der Folge
verzichtet van Hoddis auf den Versuch, das kaum mehr Faßbare womöglich
doch noch zu fassen. Im kurz nach dem «Morgentraum» entstandenen Gedicht «Mittag» schildert er ausschließlich seine von jeder Transzendenz ab-
geschnittene Existenz. Nicht einmal mehr die Möglichkeit eines Aufschwungs
über die äußere Realität hinaus ist sichtbar:

Mittag

Ein Teufelslachen bleckt am blauen Himmel
Und in den Straßen quält der trockene Staub
Der breiten und verworrnen Stadt Gewimmel.
An allen Bäumen sitzt erstarrtes Laub.

Als hing die Sonne jetzt am Leiterwagen,
Der langsam fährt mit schallendem Gebimmel
Es dröhnt die Stadt wie trunken und in Klagen.

Du gehst bestürzt, so einsam wie in Wüsten,
Zu wild und stolz nach Mensch und Lust zu jagen.
Und selbst nach Träumen, die als Kind dich grüßten,
Wagst du jetzt diese Häuser nicht zu fragen.

Tollkirschen trägt dir dieser Monde Baum.
Nur Ängste steigen auf. Die Winde schlagen
Dir schwarze Fratzen in den tiefsten Traum.

So Tag und Nacht und niemals zu verjagen.

b) Die Zerstörung der lyrischen Formen

Das Scheitern des religiösen «Abenteuers» bedeutet für van Hoddis das Ende
seiner geistigen Entwicklung. In den Gedichten nach 1912 werden keine
neuen Positionen und Ziele mehr sichtbar. Es sind vorwiegend zerstörende
Parodien oder Darstellungen des reinen Unsinns. Daneben entstand noch der
großartige Zyklus «Der Todesengel», in dem er in abgewandelter Form seine
neuromantische Jugendlyrik wieder aufnahm. Diese letzten Gedichte sind
merklich vom heraufkommenden Wahnsinn gekennzeichnet. Ihre oft erstaunliche Qualität berechtigt trotzdem, sie mit rein künstlerischen Maßstäben zu
messen. Das tragische Ende desjenigen, der sie schrieb, soll dabei nie vergessen werden. Seine Versuche, dem nahen geistigen Untergang doch noch
etwas Gültiges entgegenzustellen, sind für die weitere Entwicklung der deutschen und auch der französischen Lyrik sehr wichtig. Was die Dadaisten und
Surrealisten in intellektueller Arbeit entwickelten und zur Darstellung brachten, ist zu einem großen Teil bereits in seinen späten Gedichten angelegt.
Diese entstanden nicht auf Grund einer bewußten Interpretation der modernen Welt, sondern aus einer rein persönlichen, existentiellen Not. Es sind die
letzten, zum Teil schon verwischten Wegmarken auf dem Weg ins geistige
Dunkel. Van Hoddis sah die Gefahr, die seinem Geist drohte, genau:

Hundert starke Arme langen
Aus dem Sumpfe nach dir hin.
Donner brummen. Goldne Schlangen
Packen dich an Brust und Kinn.

Und sieh, ein Greis mit weißen Flammenhaaren
Schreit dich pathetisch dabei an:
«Du sollst nun mal zur Hölle fahren!
Da, sieh dir deine Wunder an!

Sind es nicht Farben, die in Fieberjahren
Dein traumbetörtes Auge sich ersehnt?
Bewundre Blitze, die ins Fleisch dir fahren!
Belausch den Tod, der schon im Hirn dir dröhnt!»

Und wütend läufst du immer weiter,
Das Ganze ist zwar zaubertoll,
Doch ist es weiter gar nicht heiter,
Wenn man am Wunder sterben soll.

In der ersten Strophe beschreibt der Dichter die drohenden Gewalten, die nach ihm greifen. Er versucht, durch den Volksliedton die Gefahr zu banalisieren. Die runde Zahl Hundert und die goldene Farbe der Schlangen verweisen in den kindlichen Bereich des Volksmärchens. Aber in der zweiten und dritten Strophe bricht die Angst vor dem nahen Untergang unbezähmbar durch. Ein «Greis mit weißen Flammenhaaren» spricht den Dichter an. Seine Haarfarbe ist durch sein Alter bedingt. Darüber hinaus hat das Weiß aber die gleiche, grauenhafte und unmenschliche Bedeutung wie in den schon besprochenen Gedichten. Es steigert den Alten zu einem überrealen, dämonischen Verkünder des Unheils. Dieser Eindruck wird auch durch sein lächerliches, pathetisches Schreien nicht gemindert. Der Greis wirft van Hoddis vor, er habe die Gefahren, denen er erliege, herbeigewünscht, sein naher Tod sei also verdient. Die Sehnsucht des jungen Dichters nach einem Blick auf das Gorgonenhaupt («Perseus»), nach der Vermählung von Lust und Pein («Der Abenteurer»), nach der süßen Qual («Aus blauen Wunden ...») und nach der Lust, die wie Leid ist («Und goldne Nacht ...»), bestätigt diesen Vorwurf. Sein «traumbetörtes Auge» verführte ihn, sich ganz den lockenden, dämonischen Mächten hinzugeben. Sie erweisen sich als grauenhaft und tödlich. Jetzt kann er dem eigenen Tod, der in seinem Gehirn dröhnt, lauschen. In dieser unheimlich ironischen Aufforderung spricht van Hoddis seine eigenste Tragik aus: mit wachem Bewußtsein muß er seiner eigenen Zerstörung zusehen. Die vierte Strophe nimmt den leichten Ton der ersten wieder auf. Er findet seinen nahen Untergang «weiter gar nicht heiter». Diese banale Formulierung hat ihre Wurzeln in der Unfähigkeit des Dichters, sein schreckliches, tragisches Schicksal adäquat zur Sprache zu bringen. Mit dem leichtfertigen, belanglosen Ton der ersten und der letzten Strophe versucht er, das drohende Unheil zu überspielen. Beide bestehen aus leichten, fast gemütlichen Vierhebern. Der tragische Hintergrund ist kaum mehr sichtbar. Die Mischung von Tragik und Komik wirkt grotesk.

Der einst lockende Bereich der geheimnisvollen Phantasie, dargestellt in den Bildern der Nacht und des Traums, erscheint jetzt als Zauber («zaubertoll») und «Wunder». Beide Begriffe bezeichnen hier vorgespiegelte Realitäten. Ein Zauber ist ein raffiniertes Kunststück, das etwas Unwirkliches vorgaukelt. Daß «Wunder» für van Hoddis hier das gleiche bedeutet, zeigen folgende Verse aus dem Gedicht «Die Himmelsschlange»:

> «Ist es Funkel, ist es dunkel,
> Ist es Sang, Gebet, Gemunkel,
> Sind's Paläste oder Plunder?
> Schweigt, wir sind im Reich der Wunder.»

«Plunder» reimt auf «Wunder». Somit verliert dieser christliche Begriff die Bedeutung des Heiligen und Göttlichen und bezeichnet nur noch etwas

Unverständliches. Er wird zur Anklage gegen Gott, der die Welt nach seinen «wunderbaren», dem menschlichen Verstand unzugänglichen Gesetzen eingerichtet hat. Angesichts der Unmöglichkeit, zu verstehen, erübrigen sich die Fragen. Sie sind rein rhetorisch. Ihre Wörter sind nicht nach ihrem Sinn, sondern nach ihrer klanglichen Qualität ausgewählt: «dunkel» antwortet dem «Funkel», «Plunder» alliteriert auf «Paläste».

Aus der sprachlich nicht mehr genau erfaßbaren Situation des geistigen Untergangs flieht van Hoddis in die Wortmusik. Er übernimmt die Form des romantischen Volkslieds und parodiert sie ins Unsinnige oder Groteske («Andante», «Tohub»). Die Parodie ist bei ihm nie Selbstzweck und hat primär keine gesellschaftliche Funktion. Sie ist die letzte Aussageart vor dem Verstummen. Wie nah das Lächerliche dem Tragischen steht, zeigt folgende titellose Groteske:

Im Saale weiße Fliegenschwärme,
Der Dunst von Wein schlägt aus dem Mund der Zecher.
Im Saale taumeln weiße Fliegenschwärme,
Berauscht vom Zorn und vom Atem der Zecher.
Berauscht vom Atem der Zecher Scharen weißer Fliegen.

Schwirren wie verrückte Tanten
Zu Bekannten
Und Folianten
Und zu unbekannten Kanten,
Schnatternd auf der Eisenbahn.

Siehste woll!
Der Mann ist toll.
Seine Nase glüht und thront
Durch die Dünste wie der Mond,
Wenn er aufgeht.
Ob er, schrecklich zugerichtet,
Immer unerhörter dichtet,
Bis er draufgeht?

Ich rauch die Zigarette
Und geh im Zimmer rum.
Der Teppich ist so kokette,
Ihn ziert gar manche Blum.

Der Mond ist meine Tante,
Er schmoddert durch die Nacht.
Die Sonne, meine Großmama,
Hat nie an mich gedacht.

Die erste Strophe wirkt wie eine Etüde über die drei Ausdrücke «Saal», «Atem der Zecher» und «weiße Fliegenschwärme». Es scheint, daß van Hoddis die einzelnen Phänomene nicht mehr in den Griff bekommt. Er setzt immer von neuem an. So entsteht ein verwirrendes Beziehungssystem, aus dem die dreimal wiederholten «weißen Fliegenschwärme» als eindrücklichste Einzelheit hervortreten. Sie sind die Grundfigur dieser Strophe. Ihre weiße

Farbe steigert sie ins Unmenschliche und Überreale. Offenbar erschrecken sie den Dichter. Er stellt in ihrem unfaßbaren Schwirren die drohende Gewalt des Wahnsinns dar. Logischerweise gelingt es ihm nicht, sie in einen sinnfälligen Zusammenhang einzubeziehen. Er kann sie nur immer wieder beim Namen nennen.

In der zweiten Strophe gibt van Hoddis den Versuch auf, den drohenden Wahnsinn sprachlich zu fassen. Der erste Vers handelt immer noch von den Fliegen. Sie «schwirren». Gleich anschließend weicht der Dichter aber in den Vergleich aus: sie schwirren «wie verrückte Tanten». Jetzt ist ein klanglich tragendes Wort gefunden, auf das sich die folgenden beziehen können. Die Reime überstürzen sich: «Bekannten», «Folianten», «unbekannten Kanten». Da ein Sinn nicht mehr faßbar ist, wird er gleichgültig. Der Gleichklang der Wörter bestimmt die Entwicklung des Gedichts.

In der dritten Strophe räsoniert van Hoddis über sein Dichten. Er kommt zum Schluß, daß er verrückt sei, und stellt sich die Frage, ob er weiter so dichten werde, «bis er draufgeht». Mit dieser saloppen Ausdrucksweise will er wieder die schreckliche Aussage bagatellisieren. Es gelingt ihm nicht, der tragische Hintergrund bleibt sichtbar. Wieder ist die Wirkung grotesk.

In den zwei letzten Strophen reimt der Dichter scheinbar unbeschwert weiter. Der Unsinn, den sie enthalten, wird durch die liedhafte Strophenform und durch die spielerische Musikalität zusammengehalten. Daß van Hoddis diese Strophen überhaupt schreibt, beweist, daß er immer noch um künstlerische Gestaltung ringt, daß aber der Gegenstand seines geistigen Kampfs übermächtig ist und sich seinem künstlerischen Zugriff entzieht. Die Musikalität und Einfachheit der Volksliedstrophe befreien ihn von der präzisen Darstellung seiner schrecklichen Situation. Neben Klang und Rhythmus verliert der klare Sinn sein Gewicht. Wie die Kinder, die oft nicht wissen, was sie eigentlich singen, gibt sich van Hoddis dem befreienden Zauber des Volkslieds als der letzten Möglichkeit hin. Daneben übernimmt er weitere lyrische Gattungen, so die Ballade und die Hymne:

Hymne

O Traum, Verdauung meiner Seele!
Elendes «combination», womit ich vor Frost mich schütze!
Zerstörer aller Dinge, die mir Feind sind;
Aller Nachttöpfe,
Kochlöffel und Litfaßsäulen ...
O du mein Schießgewehr.

In purpurne Finsternis tauchst du die Tage,
Alle Nächte bekommen violette Horizonte.
Meine Großmama Pauline erscheint als Astralleib
Und sogar ein Herr Sanitätsrat
Ein braver aber etwas zu gebildeter

Sanitätsrat
Wird mir wieder amüsant
Er taucht aus seiner efeuumwobenen Ruhestätte
– War es nicht soeben ein himmelblauer Ofenschirm?

(He Sie da!)
Und gackt: «Sogar – – –»
(Frei nach Friedrich von Schiller.)

O Traum, Verdauung meiner Seele!
O du mein Schießgewehr!
Gick! Gack!

Die hymnische Struktur enthebt den Dichter jedes äußeren Zwangs. Metrik, Verslänge und Anordnung der Verse sind frei. Die Form wird allein durch den gehobenen, feierlichen Ton bestimmt. Der verehrte Gegenstand ist hier nicht ein Gott, sondern der Traum. Das ist an sich nichts Außergewöhnliches. Der Traum kann eng verwandt sein mit der Nacht, an die Novalis seine Hymnen richtete. Aber hier ist er als «Verdauung meiner Seele» apostrophiert, als «elende ,combination‘», die vor Frost schützt. («combination» ist ein Kleidungsstück, bestehend aus Hemd und Hose.) Der Traum ist also nicht eine göttliche Macht, die in andere Welten entführt, sondern hat eine rein psychologische Funktion; er hält die Seele im Gleichgewicht. Ähnlich redet C. G. Jung von einem «psychischen Diätfehler», der die «Verdauung aus dem Gleichgewicht bringt» [139]. Dieser Anschauung liegt die «Traumdeutung» Freuds zugrunde. In den folgenden Versen kehrt van Hoddis wieder zur romantischen Auffassung zurück: der Traum ist der «Zerstörer aller Dinge», die feindlich sind. Sie sind aufgezählt: «Nachttöpfe, Kochlöffel und Litfaßsäulen.» In satirischer Steigerung ist der Traum ein «Schießgewehr», das die Realität abschießt. Er ist rein negativ als Zerstörer der alltäglichen Gegenstände dargestellt. Wohin er führt, ist verschwiegen. Er taucht die Tage «in purpurne Finsternis» und gibt den Nächten «violette Horizonte», d. h. er verschönert den Tagesablauf und nimmt der Realität ihre scharfen Konturen. Auch in diesen zwei Versen führt er nicht über die vordergründige Welt hinaus. Dank ihm werden dem Dichter die Familienangehörigen «wieder amüsant». Die dritte Strophe löst die klare Gedankenführung auf. Die ironische Wiederholung des «sogar» aus der zweiten Strophe erweist den gefeierten Gegenstand als wertlos. Denn seine Wirkung ist lächerlich klein. Das «Gick! Gack!» am Schluß zieht den hohen Ton der Anfangsverse vollends ins Lächerliche.

Dem Gedicht liegt nicht in erster Linie der Wille zur Parodie zugrunde. Vielmehr wäre die Gattung Hymne für van Hoddis eine gemäße Form. Sie schlägt in eine Parodie um, weil der besungene Gegenstand, der Traum, nicht mehr die geheimnisvolle Macht ist, die den Mensch in ganz andere, wunderbare Bereiche versetzt.

Die «Hymne» ist in der von Peter Schifferli zusammengestellten Anthologie des Dadaismus abgedruckt [140]. Auch Erwin Rotermund stellt sie in seiner Arbeit über die «Parodie in der modernen deutschen Lyrik» in diese Umgebung [141]. Er vergleicht sie mit der «Hymne» Richard Hülsenbecks und kommt zum Schluß, daß die beiden Gedichte ähnlich aufgebaut seien und Ähnliches parodieren, daß aber ihre «Tendenzen» verschieden seien. Die «Hymne» van Hoddis' ist nach innen gerichtet im Sinn einer «Abwehrgebärde gegen das Dunkle und die Lethargie»; diejenige Hülsenbecks stellt «anarchische Zeit-, Kultur- und Religionskritik» dar [142].

Ähnlich ist es im «Couplet» über Bladdy Groth. In dieser Ballade, die schon in erstaunlichem Maß an Brechts «Legende der Dirne Evlyn Roe» [143] erinnert, hält van Hoddis den balladesken Ton bis kurz vor Schluß durch. Das Motiv des lustigen, ganz auf Liebe eingestellten Mädchens ist dieser Gattung angemessen. Die Metrik ist unregelmäßig und sehr lebendig, die Sprache volkstümlich. Wie später Brecht übernimmt van Hoddis Wendungen aus der Umgangssprache:

> «Und was haben wir alles mit ihr nicht gemacht
> Und sie hat sich doch gar nichts dabei gedacht
> Bladdy Groth, Bladdy Groth, Bladdy Groth.»

Der Schluß des Gedichts zeigt aber, daß für ihn die Ballade keine gemäße Gattung mehr ist. Bladdy Groth stirbt und kommt in den Himmel. Das gibt dem Dichter Gelegenheit, das Leben und Treiben der himmlischen Scharen zu schildern:

> «Ah, wie werden die geflügelten Luzifere ihr zusehn,
> Wenn sie mit den Engeln tengelntateratata.
> Ob es im Himmel, Bladdy Groth! Bladdy Groth!
> Wohl Sekt gibt?»

Der schwerblütige Rhythmus weicht einer akzentlosen Alltagsdiktion. Die Verse reimen nicht mehr. Der klangvolle, oft wiederholte Anruf «Bladdy Groth!» ist in die banale Frage eingeschoben, ob man im Himmel wohl Sekt trinke. Die formale und sprachliche Auflösung der Ballade wird gesteigert durch die inhaltliche Parodie. Engel und Luzifere sind geil und trinken vermutlich Sekt. Sie unterscheiden sich in nichts von den Menschen.

In den ebenfalls balladesken Gedichten «Die Himmelsschlange» und «Der Teufel spricht:» sind die Gespenster und die Bevölkerung des Himmels ähnlich provozierend dargestellt. In der klassischen Ballade verkörpern die Gespenster übernatürliche Mächte, die den Mensch in einen für diesen unzugänglichen Bereich ziehen wollen. Bei van Hoddis sind sie versoffene Kumpane, die «Unzucht treibend in der Luft» herumschwirren. Der Geist, der in seiner eisernen Rüstung aus einem Loch kriecht, macht «Winke – Winke». Teufel und Engel rauchen und legen sich miteinander ins Bett. In Himmel und Hölle spielen sich «gräßliche Exzesse» ab. Die Welt der Gespenster, der Engel und der Teufel ist das genaue Abbild der irdischen Realität. Dadurch ist das abgestufte System der Welt, das der klassischen Ballade zugrunde liegt, aufgehoben. Nur die parodierte Ballade ist noch möglich. In ihr kommt das Fehlen einer gültigen Ordnung und einer festen Transzendenz zum Ausdruck. Die Welt ist nicht mehr ein in die Tiefe gestaffeltes System, sondern eine einheitliche, undurchsichtige Fläche. In einem späten Gedicht stellt sie der Dichter als «Wand» dar («Es hebt sich ein rosa Gesicht ...»). Seine zweite Strophe lautet:

> «O Wand, die in meine leblosen Stunden starrt
> Wand, Wand, die meine Seele mit Wundern genarrt
> Mit Langeweile und grünlichem Kalk
> Mein Freund. Meiner Wünsche Dreckkatafalk.»

Die Bilder, mit denen die Wand den Dichter narrt, sind das einzige Lebendige in seinen «leblosen Stunden» und in seiner «Langeweile». Obschon er weiß, daß sie nur vorgegaukelt sind und nicht das Wesentliche treffen, haben sie für ihn Realitätscharakter. Er zählt sie auf: «ein rosa Gesicht», «ein verwegenes Licht», «ein Mädel», «der Mond», die Hand des Herrn Cohn und ein preziöses Schnattern. Ein weiteres Bild liefert ihm das Motiv zum Gedicht «Der Visionarr»:

Der Visionarr

Lampe blöck nicht.
Aus der Wand fuhr ein dünner Frauenarm.
Er war bleich und blau geädert.
Die Finger waren mit kostbaren Ringen bepatzt.
Als ich die Hand küßte, erschrak ich:
Sie war lebendig und warm.
Das Gesicht wurde mir zerkratzt.
Ich nahm ein Küchenmesser und zerschnitt ein paar Adern.
Eine große Katze leckte zierlich das Blut vom Boden auf.
Ein Mann indes kroch mit gesträubten Haaren
Einen schräg an die Wand gelegten Besenstiel hinauf.

Der in Pörtners Ausgabe falsch abgedruckte Titel * ist eine Zusammensetzung von «Visionär» und «Narr». Van Hoddis weiß, daß die Vision nicht aus der Tiefe kommt, sondern daß er durch sie genarrt wird. Trotzdem gestaltet er sie, denn es gibt für ihn hinter der Wand nichts mehr. Der erste Vers setzt einen entscheidenden Akzent: eine Lampe kann nicht «blöcken». Wahrscheinlich schreibt der Dichter das Wort «blöken» absichtlich falsch. Er stellt nicht nur die Wörter in einen sinnlosen Zusammenhang, sondern er verändert sie selbst. Dadurch ist von Anfang an klar: was hier dargestellt wird, hat mit der allgemeinen Erfahrung nichts zu tun. In präziser, sachlicher

---

* In der Ausgabe von 1918 lautet er: ‹Der Visionarr›.

Sprache ist geschildert, wie ein Frauenarm aus der Wand fährt und dem Dichter das Gesicht zerkratzt, wie dieser den Arm zerschneidet und wie eine Katze das Blut aufleckt. Dieses Geschehen, das einen zuschauenden Mann einen Besenstiel hinaufjagt, ist nicht nur seiner Gräßlichkeit wegen dargestellt. Vielmehr enthält es eine schreckliche Erfahrung des Dichters: die Wand zeigt ihm ein verlockendes Bild, dem er sich hingeben will. In der Hingabe merkt er, daß er es falsch einschätzte und daß es ihn zu zerstören droht. Er muß es seinerseits zerstören, um zu überleben. Dieses Grunderlebnis van Hoddis', das sich in allen seinen Epochen, am eindrücklichsten mit dem Bild der Nacht, wiederholt, ist in ganz neuartiger Weise dargestellt. Der Zusammenhang mit seiner inneren Entwicklung ist fast unsichtbar. Das Geschehen erscheint als eine surreale Konstruktion. Die absolut sachliche Schilderung, wie z. B. die Katze das Blut aufleckt, läßt keine Erlebnisgrundlage vermuten. «Der Visionarr» gehört mit dem ähnlich surrealen Gedicht «Der Freund» zu den letzten, großen Gedichten van Hoddis', in denen er nicht in eine Parodie flüchtet, sondern versucht, seine Problematik direkt und adäquat auszudrücken. Das Surreale ist für ihn kein Programm, sondern das direkte Abbild der ihm surreal erscheinenden Welt.

Die äußere Form des Gedichts ist mit keiner Regel zu fassen. Es macht den Anschein, als habe van Hoddis erst während des Schreibens den Entschluß gefaßt, ein Gedicht zu machen. Die ersten fünf Verse sind präzise, knappe Sätze, die man auch als Prosa drucken könnte. Erst der sechste reimt, und zwar auf den weit zurückliegenden zweiten. Beim ersten Lesen ist dieser Reim kaum zu bemerken. Ähnlich weit liegt das Reimpaar «bepatzt»–«zerkratzt» auseinander. Die vier letzten Verse reimen regelmäßig nach dem Schema a b a b. In ihnen ist der bewußte künstlerische Wille deutlich sichtbar. Die Katze und der den Besenstiel hinaufkriechende Mann gehören nicht zum primären Bild. Sie sind anschließend aus dem Bewußtsein hinzugefügt, um den gräßlichen, surrealen Charakter des Geschehens zu unterstreichen. Die Entwicklung führt vom genauen sachlichen Feststellen von etwas Gesehenem zur bewußten Konstruktion und Ausschmückung. Das beweist, daß van Hoddis primär nicht ein neuartiges surreales Gedicht schreiben, sondern etwas, das er genau sah, gestalten wollte.

Gedichte wie die «Hymne» und «Der Visionarr» sind eigenständige Leistungen, die in die Zukunft weisen. Sie sind vor allem in bezug auf die weitere Entwicklung der modernen Lyrik interessant. In seiner allerletzten Schaffensphase verzichtete van Hoddis auf die Entwicklung neuer Aussagearten. In der schrecklichen Gefahr, die seinem Geist drohte, griff er zu vertrauten Formen, die ihm den kleinsten Widerstand entgegensetzten. «Der Todesengel» und das «Indianisch Lied» sind letzte Ausläufer seiner neuromantischen Jugendverse. Im Gegensatz zu den Formen des Volkslieds, der Ballade und der Hymne parodierte er die Bilderwelt und die feierliche Sprache der

Neuromantik nicht mehr. Im «Todesengel» gelang ihm noch einmal ein großartiges neuromantisches Werk, das zeigt, wie tief er zeitlebens in der Romantik verhaftet war. Am Schluß seiner geistigen Entwicklung, die in einzigartiger Intensität vorwärtsdrängte, neue Bereiche eroberte und sie gleich wieder verwarf, kehrte er wieder zu seiner Ausgangsposition zurück. Der Grund dafür scheint seine Beziehung zu Lotte Pritzel gewesen zu sein. In der unglücklichen Liebe zu ihr versuchte er noch einmal, über die Realität hinauszukommen. Er steigerte sein erotisches Verlangen ins Überreale. Die seiner Sehnsucht gemäße Ausdrucksart war die neuromantische Stilisierung.

Das «Indianisch Lied» ist ein Gewirr von balladeskem Geschehen, Theoretisieren über die Sprache und Liebeslyrik. Das Durcheinander ist so groß, daß Pörtner in seiner Ausgabe das letzte Stück abtrennen und als eigenständiges Gedicht auf Seite 53 abdrucken konnte. In der Ausgabe von 1918 und in der «Aktion» bilden jene zwei Strophen den Schluß des Lieds. Das Gedicht ist Lotte Pritzel gewidmet. Sie erscheint als «weiße Rose», die ihren Anbeter aufs Knie zwingt. Es ist das einzige Mal, daß van Hoddis direkt von seinen Liebeserfahrungen redet.

Auf die Begegnung mit Lotte Pritzel geht auch «Der Todesengel» zurück. Was im «Indianisch Lied» undeutlich zwischen den verschiedensten Motiven herauszulesen ist, wird hier zu einem einheitlichen Geschehen stilisiert, das den persönlichen Hintergrund fast ganz verdeckt. Der Zyklus besteht aus vier Gedichten, die alle aus regelmäßig gereimten Blankversstrophen bestehen. Der gehobenen, neuromantisch ausgeschmückten Sprache entspricht die traumhafte Unwirklichkeit des Geschehens. Der Todesengel, eine teils schauerliche, teils mitleiderregende Gestalt, steht im Zentrum. Er besucht einen geliebten Knaben, dem er als Geschenk eine Opferszene aus dem alten Indien vorspiegelt. Anschließend fliegt er in Gestalt eines Papageis zu einem sterbenden Greis. Das erste und das letzte Gedicht handeln von einer «zarten Braut»:

I

Mit Trommelwirbeln geht der Hochzeitszug,
In seid'ner Sänfte wird die Braut getragen,
Durch rote Wolken weißer Rosse Flug,
Die ungeduldig gold'ne Zäume nagen.

Der Todesengel harrt in Himmelshallen
Als wüster Freier dieser zarten Braut.
Und seine wilden, dunklen Haare fallen
Die Stirn hinab, auf der der Morgen graut.

Die Augen weit, vor Mitleid glühend offen
Wie trostlos starrend hin zu neuer Lust,
Ein grauenvolles, nie versiegtes Hoffen,
Ein Traum von Tagen, die er nie gewußt.

In der ersten Strophe wird die Braut durch die Lüfte getragen. Die zwei folgenden schildern den «in Himmelshallen» wartenden Freier. Offensichtlich spielt sich das Geschehen nicht in der Realität, sondern im Bereich der traumhaften Phantasie ab. Der Todesengel starrt «wie trostlos hin zu neuer Lust» und kennt ein «grauenvolles, nie versiegtes Hoffen». Diese Verse erinnern deutlich an die paradoxen Formulierungen, in denen van Hoddis seine Lust am eigenen Leid schildert. Der Todesengel ist ihm eng verwandt. Das «grauenvolle, nie versiegte Hoffen» deckt sich mit seiner Gier nach neuem Truge, das ihn im Gedicht «Und immer fordernd ...» weitertreibt. Der Todesengel weiß, daß ihm die Braut keine Erfüllung bringen kann. Trotzdem hofft er auf sie. Das ist die paradoxe Grundsituation des Dichters.

Im letzten Gedicht vereinigt sich der Todesengel mit der Braut:

IV

Die Braut friert leise unterm leichten Kleide.
Der Engel schweigt. Die Lüfte ziehn wie krank.
Er stürzt auf seine Knie. Nun zittern beide.
Vom Strahl der Liebe, der aus Himmeln drang.

Posaunenschall und dunkler Donner Lachen.
Ein Schleier überflog das Morgenrot.
Als sie mit ihrer zärtlichen und schwachen
Bewegung ihm den Mund zum Küssen bot.

Wie im «Indianisch Lied» stürzt der Liebende auf seine Knie. Sein Flehen wird scheinbar erhört: der «Strahl der Liebe» dringt «aus Himmeln». Aber der erste Vers der zweiten Strophe hebt diese Aussage wieder auf. Posaunen schallen, d. h. die Himmlischen gewähren den Liebenden Erfüllung; dazu hört er aber «dunkler Donner Lachen»: der Herr des Donners lacht ihn aus. Die Frage, ob der Todesengel erhört wird, ob also van Hoddis in der Liebe die Erfüllung seiner Sehnsucht nach einer gültigen Transzendenz findet, bleibt in der Schwebe.

Daß der Dichter am Ende seiner künstlerischen Entwicklung wieder auf die traumhafte Phantasiewelt seiner neuromantischen Jugendverse zurückgriff, scheint seine ganze neuartige, revolutionäre Lyrik als vorübergehendes Abenteuer in Frage zu stellen. Aber auch diese letzte noch sichtbare Position war nicht endgültig. Die späten, neuromantischen Verse zeigen nur, daß er überhaupt keine bleibende Position haben konnte, daß sein geistiges Leben ein immerwährendes Experimentieren war. Sein Anspruch auf absolute Wahrheit konnte keine Erfüllung finden.

c) Van Hoddis und die Entwicklung der modernen Lyrik

Die dargestellte Entwicklung van Hoddis' enthält im Keim die verschiedenen Stationen der modernen deutschen und zum Teil auch der französischen Lyrik, die sich von 1910 bis 1925 herausbildeten. Er war einer der Bahnbrecher des Expressionismus. Auch die Dadaisten und Surrealisten betrachteten ihn als einen ihrer Vorläufer. Wie sich in seinem Werk die verschiedenen Positionen und Ausdrucksarten jagten, so lösten sich in jenen fünfzehn Jahren die Manifeste und Theorien der neuen Kunst unerhört schnell ab. Obschon sich die verschiedenen Künstlergruppen zum Teil heftig befehdeten, waren ihre Revolutionen doch vom gleichen Geist beseelt. Sie stießen alle nach vorn in Neuland. Logischerweise verneinten sie jede hinter ihnen liegende Position als ungenügend und nicht mehr haltbar. So warfen einige Expressionisten Marinetti vor, er sei einseitig und flach, so distanzierten sich die Dadaisten vom Expressionismus mit der Begründung, er sei zu realistisch. Daß Expressionisten, Dadaisten und Surrealisten im Werk van Hoddis' ihre eigenen Anschauungen erkennen konnten, zeigt aber die innere Einheit dieser Bewegungen. Die Dadaisten rezitierten seine Gedichte, Louis Aragon übersetzte das «Weltende» ins Französische[144], André Breton lobte ihn als Ahnen des schwarzen Humors[145]. Van Hoddis hatte mit ihnen die geistige Grundhaltung gemeinsam: die mystische Sehnsucht nach einer neuen, höheren Realität, die geistige Herkunft aus der Romantik, die Anerkennung des Traums und des Irreseins als höherer Wirklichkeiten. Der entscheidende Unterschied liegt darin, daß die Dadaisten und Surrealisten die neue Dichtung als bewußtes, ernstes Spiel betrieben, während van Hoddis seine Gedichte mit dem Einsatz der geistigen Gesundheit schrieb. André Breton notierte im ersten surrealistischen Manifest, er gäbe sein Leben dahin, wenn er die vertraulichen Mitteilungen der Verrückten provozieren könnte *. Dieser Wunsch wurde für van Hoddis erfüllt.

---

* «Les confidences des fous, je passerais ma vie à les provoquer[146].»

LITERATURVERZEICHNIS

Gottfried Benn: Gesammelte Werke, 4 Bände, hg. von Dieter Wellershoff, Wiesbaden 1958 ff.

Bertold Brecht: Gedichte, 6 Bände, Frankfurt a. M. 1960 ff.

Klaus Budzinski: Die Muse mit der scharfen Zunge, München 1961.

Richard Dehmel: Gesammelte Werke in 3 Bänden, Fischer Verlag Berlin 1919 ff.

Hermann Friedmann und Otto Mann: Expressionismus, Gestalten einer literarischen Bewegung, Heidelberg 1956.

Hugo Friedrich: Die Struktur der modernen Lyrik, Hamburg 1956.

Heinrich Heine: Sämtliche Werke in 7 Bänden, hg. von E. Elster, Leipzig u. Wien o. J.

Georg Heym: Dichtungen und Schriften, 3 Bände, hg. von K. L. Schneider, Hamburg und München 1960 ff.

Kurt Hiller: Begegnungen mit Expressionisten, «Der Monat» 148, Januar 1961, ebenfalls abgedruckt bei Paul Raabe.

– Die Weisheit der Langeweile, 2 Bände, Leipzig 1913.

Jakob van Hoddis: Weltende, gesammelte Dichtungen, hg. von Paul Pörtner, Zürich 1958.

Arno Holz: Das ausgewählte Werk, Berlin 1919.

Walther Killy: Über Georg Trakl, Göttingen 1960.

Alfred Lichtenstein: Gesammelte Gedichte, hg. von Klaus Kanzog, Zürich 1962.

Georg Lukács: «Größe und Verfall» des Expressionismus, abgedruckt in Schicksalswende, Aufbau-Verlag, Berlin 1948.

Heinrich Mann: Professor Unrat, 1917.

Kurt Mautz: Mythologie und Gesellschaft im Expressionismus, Die Dichtung Georg Heyms, Bonn 1961.

Walter Muschg: Von Trakl zu Brecht, Dichter des Expressionismus, München 1961.

Friedrich Nietzsche: Gesammelte Werke, Musarion-Verlag, München 1922 ff.

Novalis: Schriften, erster Band, Das dichterische Werk, hg. von Paul Kluckhohn und Richard Samuel, Darmstadt 1960.

Paul Pörtner: Literaturrevolution 1910–1925, zweiter Band, Zur Begriffsbestimmung der Ismen, Neuwied a. Rhein 1961.

Paul Raabe: Die Zeitschriften und Sammlungen des literarischen Expressionismus, Stuttgart 1964.

– Expressionismus, Aufzeichnungen und Erinnerungen der Zeitgenossen, hg. von Paul Raabe, Olten und Freiburg i. Br. 1965.

Arthur Rimbaud: Briefe, Dokumente, Heidelberg 1964.

– Leben und Dichtung, übertragen von K. L. Ammer, Leipzig 1907.

– Sämtliche Gedichte, mit deutscher Übertragung von Walther Küchler, Heidelberg 1946.

Erwin Rotermund: Die Parodie in der modernen deutschen Lyrik, München 1963.

Peter Rühmkorf: Jakob van Hoddis und Alfred Lichtenstein, «Neue Rundschau» 1963, viertes Heft.

Walter H. Sokel: The writer in Extremis; deutsche Übersetzung: Der literarische Expressionismus, München o. J.

Albert Soergel: Dichtung und Dichter der Zeit II, Im Banne des Expressionismus, Leipzig 1925.

Georg Trakl: Die Dichtungen, Salzburg 1963.

Werner Weber: Suite zur Gegenwart, Aufsätze zur Literatur, Zürich 1959.

STELLENNACHWEISE

Die Ausgaben, die im Literaturverzeichnis aufgeführt sind, werden nicht mehr ausführlich angegeben.

1 W. Muschg: «Von Trakl zu Brecht», S. 21.
2 K. Mautz: «Mythologie und Gesellschaft im Expressionismus», Bonn 1961.
3 «Weltende», Gesammelte Dichtungen, Zürich 1958.
4 a. a. O., S. 94 f.
5 a. a. O., S. 95.
6 a. a. O., S. 113.
7 «Von Trakl zu Brecht», S. 46.
8 Hugo Ball, «Tagebuch», in «Das war Dada», Sonderreihe dtv, Bd. 18, S. 28.
9 André Breton: «Les Manifestes du Surréalisme», Paris 1946, S. 65.
10 G. Lukács: «‚Größe und Verfall‘ des Expressionismus», S. 221.
11 H. Heine: Sämtliche Werke, Bd. VII, S. 418.
12 a. a. O., Bd. 1, S. 187 ff.
13 a. a. O., Bd. 1, S. 183 f.
14 A. Rimbaud: Leben und Dichtung, hg. von K. L. Ammer, S. 133 f.
15 A. Rimbaud: Sämtliche Gedichte, hg. von W. Küchler, S. 44 ff.
16/17 a. a. O., S. 203.
18 A. Holz: Das ausgewählte Werk, S. 165.
19 G. Heym: «Dichtungen und Schriften», Bd. 2, S. 19 f.
20 a. a. O., S. 30.
21 «Weltende», S. 11.
22 F. Nietzsche: Musarion Ausgabe, Bd. XX, S. 150.
23 G. Heym: «Dichtungen und Schriften», Bd. 1, S. 117 f.
24 «Weltende», S. 22.
25 G. Heym: «Dichtungen und Schriften», Bd. 3, S. 139.
26 a. a. O., Bd. 2, S. 181.
27 a. a. O., Bd. 1, S. 237 f.
28 a. a. O., Bd. 1, S. 248.
29 a. a. O., Bd. 1, S. 275.
30 a. a. O., Bd. 1, S. 192.
31 «Weltende», S. 11.
32 a. a. O., S. 30.
33 W. Muschg: «Von Trakl zu Brecht», S. 45.
34 R. Dehmel: Gesammelte Werke, Bd. 3, S. 137 f.
35 a. a. O., Bd. 1, S. 88 f.
36 Theodor Fontane: Briefe, 2. Sammlung, 1909, S. 376.
37 A. Holz: Das ausgewählte Werk, S. 145.
38 B. Brecht: Gedichte, Bd. 1, S. 25 ff.
39 H. Mann: «Professor Unrat», 1917.
40 a. a. O., S. 8 f.
41 a. a. O., S. 9.
42 G. Heym: Dichtungen und Schriften, Bd. 3, S. 10.
43 a. a. O., Bd. 3, S. 170.
44 a. a. O., Bd. 3, S. 171.
45 a. a. O., Bd. 3, S. 148.

46 «Weltende», S. 99.
47 H. Mann: «Professor Unrat», S. 166.
48 R. Dehmel: Gesammelte Werke, Bd. 2, S. 105 ff.
49 a. a. O., Bd. 2, S. 118.
50 a. a. O., Bd. 2, S. 118.
51 Goethes Werke, Ch. Wegner Verlag, Hamburg, Bd. XI, S. 69.
52 K. Budzinski: «Die Muse mit der scharfen Zunge», S. 36.
53 a. a. O., S. 34.
54 O. J. Bierbaum u. a.: «Deutsche Chansons», Berlin und Leipzig 1901. Einleitung, S. IX ff.
55 K. Budzinski: «Die Muse mit der scharfen Zunge», S. 38.
56 K. Hiller: «Die Weisheit der Langeweile», Bd. 1, S. 237 ff.
57 a. a. O., Bd. 1, S. 238.
58 a. a. O., Bd. 1, S. 238.
59 F. Nietzsche: Musarion Ausgabe, Bd. XVIII, S. 69.
60 «Weltende», S. 121.
61 K. Hiller: «Die Weisheit der Langeweile», Bd. 1, S. 236 ff.
62 a. a. O., Bd. 1, S. 235.
63 «Weltende», S. 120.
64 K. Hiller: «Die Weisheit der Langeweile», Bd. 1, S. 119 f.
65 «Weltende», S. 93.
66 F. Nietzsche: Musarion Ausgabe, Bd. XI, S. 145 ff.
67 a. a. O., Bd. XVI, S. 116.
68 «Weltende», S. 97.
69 F. Nietzsche: Musarion Ausgabe, Bd. XXI, S. 188.
70 a. a. O., Bd. XIII, S. 62.
71 a. a. O., Bd. XIII, S. 190.
72 A. Rimbaud: Briefe, Dokumente, S. 19.
73 a. a. O., S. 25.
74 H. Friedrich: «Die Struktur der modernen Lyrik», S. 36.
75 «Weltende», S. 50.
76 a. a. O., S. 103.
77 a. a. O., S. 94.
78 «Die Aktion», hg. von Franz Pfemfert, Nr. 42, 4. Dez. 1911, Spalte 1325 f.
79 H. Mann: «Professor Unrat», S. 109.
80 a. a. O., S. 111.
81 «Weltende», S. 88.
82 P. Pörtner: «Literaturrevolution», S. 35 ff.
83 a. a. O., S. 38 f.
81 «Weltende», S. 88.
82 P. Pörtner: «Literaturrevolution», S. 35 ff.
83 a. a. O., S. 38 f.
84 G. Benn: Gesammelte Werke, Bd. 1, S. 480.
85 P. Pörtner: «Literaturrevolution», S. 47 ff.
86 a. a. O., S. 55.
87 Alfred Döblin: «Die Zeitlupe», Kleine Prosa, hg. von W. Muschg, Olten und Freiburg i. Br. 1962, S. 11.
88 P. Pörtner: «Literaturrevolution», S. 69.
89 G. Heym: Dichtungen und Schriften, Bd. 2, S. 173 f.
90 «Weltende», S. 129.
91 Ernst Barlach: Das dichterische Werk, 3 Bände, München 1956 ff., Bd. 2, S. 95 ff.

92 G. Heym: Dichtungen und Schriften, Bd. 1, S. 346.
93 Novalis: Schriften, S. 133.
94 a. a. O., S. 137.
95 a. a. O., S. 133.
96 a. a. O., S. 131.
97 a. a. O., S. 159.
98 «Weltende», S. 44.
99 a. a. O., S. 52.
100 W. Killy: «Über Georg Trakl», Göttingen 1960.
101 a. a. O., S. 19.
102 a. a. O., S. 49.
103 G. Trakl: Die Dichtungen, S. 168.
104 G. Heym: Dichtungen und Schriften, Bd. 1, S. 147 f.
105 «Weltende», S. 10.
106 F. Nietzsche: Musarion Ausgabe, Bd. XIX, S. 19.
107 K. Mautz: «Mythologie und Gesellschaft im Expressionismus», S. 360.
108 a. a. O., S. 363 f.
109 a. a. O., S. 364.
110 a. a. O., S. 370.
111 a. a. O., S. 374.
112 Goethes Werke, Ch. Wegner Verlag, Hamburg, Bd. 13, S. 439.
113 Alfred Döblin: «Manas», hg. von Walter Muschg, Olten u. Freiburg i. Br. 1961, S. 25.
114 K. Mautz: «Mythologie und Gesellschaft im Expressionismus», S. 224.
115 P. Raabe: «Die Zeitschriften und Sammlungen des literarischen Expressionismus.»
116 Else Lasker-Schüler: Gedichte, München 1959, S. 149.
117 B. Brecht: Gedichte, Bd. 1, S. 147 ff.
118 P. Raabe: «Expressionismus», S. 317.
119 a. a. O., S. 51 ff.
120 a. a. O., S. 24 ff.
121 G. Benn: Gesammelte Werke, Bd. 1, S. 498.
122 «Weltende», S. 122.
123 W. Weber: «Suite zur Gegenwart», S. 201.
124 K. Mautz: «Mythologie und Gesellschaft im Expressionismus», S. 226.
125 Bertold Brecht: Schriften zum Theater, Bd. 5, S. 94.
126 A. Lichtenstein: Gesammelte Gedichte, S. 113 f.
127 G. Heym: Dichtungen und Schriften, Bd. 3, S. 205.
128 A. Lichtenstein: Gesammelte Gedichte, S. 68.
129 «Weltende», S. 106.
130 a. a. O., S. 123.
131 a. a. O., S. 109.
132 a. a. O., S. 52.
133 a. a. O., S. 110.
134 a. a. O., S. 91.
135 «Deutsche Mystiker des Mittelalters», zusammengestellt und herausgegeben von Joseph Quint, Bonn 1929, S. 37.
136 Angelus Silesius: Sämtliche poetische Werke, hg. von Hans Ludwig Held, 3 Bände, München 1924.
137 «Weltende», S. 74.
138 G. Heym: «Dichtungen und Schriften», Bd. 1, S. 192.

139 C. G. Jung: «Die Beziehungen zwischen dem Ich und dem Unbewußten», Rascher Paperback, Zürich 1963, S. 131.
140 Peter Schifferli: Dada Gedichte, Zürich 1957.
141 E. Rotermund: «Die Parodie in der modernen deutschen Lyrik», S. 106 ff.
142 a. a. O., S. 107.
143 B. Brecht: Gedichte, Bd. 2, S. 46 ff.
144 cf. «Anthologie der Abseitigen», hg. von C. Giedion-Welcker, Zürich 1946, S. 129.
145 «Weltende», S. 126.
146 André Breton: «Les Manifestes du Surréalisme», Paris 1946, S. 16.